彩图版李毓佩数学故事系列

数学神探006（彩图版）

李毓佩 著

湖北长江出版集团 湖北少年儿童出版社
HUBEI CHILDREN'S PRESS

目录

目录

目录

目录

李毓佩数学故事系列

数学神探006

LI
YU
PEI
SHU
XUE
GU
SHI
XI
LIE

劫持大熊猫

JIECHIDAXIONGMAO

“嘀嘀嗒——嘀嘀嗒——”，“咚咚”，又吹又打好热闹！啊，原来大森林里正开欢迎会，欢迎国宝大熊猫来这里访问。大象、山羊、小白兔、黄狗警官排成一排，夹道欢迎大熊猫。大熊猫脖子上挂着一串漂亮的竹子雕刻项链，频频向欢迎的群众点头挥手。

大象紧走两步，握住大熊猫的手：“欢迎国宝大熊猫！”

大熊猫用鼻子向四周闻了闻：“听说你们这儿有许多好吃的竹子。”

“有，有，你可以敞开吃。请先到宾馆休息。”大象把大熊猫请进刚刚建成的宾馆，宾馆全部是用新鲜的竹子修建的。

大熊猫看见新鲜的竹子，馋劲就上来了，拿起竹编椅子张嘴就要啃。

大象急忙拦住，说：“这张椅子没清洗，不干净。我这就去拿专门给你准备好的、干净的竹子。”

不一会儿，大象用鼻子卷着一大捆上好的竹子，送给了大熊猫。大熊猫美美地吃了一顿。

夜晚，大熊猫准备休息，忽然，窗外闪过两条瘦长的黑影。

大熊猫也没在意，他一路劳累，高举双手打了一个哈欠：“呵——真累，我要好好睡一觉了。”说着一头倒在床上，瞬间就打起了呼噜。

一个黑影朝屋里一指：“就在里面，动手！”

只见两个蒙面人迅速蹿了进去，用口袋套住了大熊猫的脑袋。

大熊猫惊醒了，大喊：“救命哪！”

蒙面人恶狠狠地说：“周围没人，你叫也没用，快乖乖跟我们走吧！”说完两人挟持着大熊猫，消失在茫茫的黑夜中。

第二天一早，黄狗警官匆忙来找数学猴。数学猴其实是一只小猕猴，由于他数学非常好，人送外号“数学猴”。只见黄狗警官穿着一身整齐的警服，腰里挎着手枪。数学猴则穿着一件花毛衣。

黄狗警官紧张地说：“数学猴，不好了，国宝丢了！”

数学猴一愣：“什么国宝？是文物，还是金子、银子？”

黄狗警官摇摇头说：“都不是，是国宝大熊猫不见了。屋里还留了一张纸条。”

“拿给我看看！”数学猴接过纸条，只见上面写着：“大熊猫被关在北山第 m 号山洞。m 是宇宙数。”

“什么是宇宙数？”黄狗警官问，“大森林里就数你的数学最好，你必须帮助侦破此案。”

数学猴双手一摊：“可是我什么头衔都没有，谁听我的？”

“我黄狗警官任命你为森林侦探，代号 007！怎么样？”

数学猴摇摇头：“我不当电影里的侦探，我要当数学侦探。”

“数学侦探的代号应该是多少？”

“006！”

“006？”黄狗警官摸了一下脑袋，“这 006 和 007 有什么区别？”

“区别可大啦！”数学猴十分严肃地说，“7 是一个质数，而 6 却是一个伟大的完全数！”

“什么是完全数？”

“6就是最小的完全数。6除去它本身，还有三个因数：1，2，3。而6 = 1 + 2 + 3。一个正整数，如果恰好等于它所有因数（本身除外）之和，则这个数就叫做完全数。具有这种性质的数非常少！因为这样的数是完美无缺的！”

黄狗警官点点头：“噢，你当侦探是想做到像完全数那样，完美无缺？”

“Yes！”

“好！以后就不叫你数学猴了，叫你006。”黄狗警官问，“咱俩要赶快找到第**m**号山洞，救出大熊猫！可是，宇宙数是多少不知道啊！”

“宇宙数是古代希腊人发明的。”006边说边写，“古希腊人把1、2、3、4这四个数称为四象，长流不息的自然的根源就包含于四象之中。”

黄狗警官倒吸一口凉气：“这么深奥！”

“而把四象相加就形成广袤无垠的宇宙数。1 + 2 + 3 + 4 = 10，10就是宇宙数。”

黄狗警官点点头：“看来他们是把大熊猫藏在北山第10号山洞里。”

“咱们去解救大熊猫！”006和黄狗警官往山上跑去，来到北山就往上爬。爬到10号洞洞口，黄狗警官趴在地上，迅速拔出手枪。

黄狗警官把手一挥：“咱俩往里冲！”

新式毒气
XINSHIDUQI

数学猴006一摆手:“不成!咱们在明处,他们在暗处,硬冲要吃亏。”

006采来许多树枝,用这些树枝扎成两个假人。

黄狗警官问:“你要干什么?”

“山洞里漆黑一片,咱们来个以假乱真!”

黄狗警官一竖大拇指:“高!实在是高!”

006和黄狗警官推着两个假人,一边吆喝,一边往里爬:“大熊猫,我们来救你了!”

“嗖!嗖!”突然从里面飞出两支暗箭。

“砰!砰!”两箭都射在假人身上。

“哇!我中箭了!没命啦!”006假装中箭大声叫喊。

一个蒙面人从里面跑了出来:“哈哈!可以吃猴肉了!”

“哈,看你往哪儿跑!”跑出来的蒙面人刚想去抓006,黄狗警官突然从后面用枪顶住了蒙面人的后腰:“不许动!把手举起来!”

“摘下你的蒙面布,看看你是什么东西!”006说

着就想摘下他的蒙面布。

蒙面人猛地推了一把黄狗警官："天机不可泄漏！我走了！"说完掉头就跑。

"我看你往哪儿跑！"黄狗警官刚想举枪射击，006把他拦住了："别开枪，抓活的！"

说时迟，那时快，006迅速拆开自己的毛衣，把毛线的一头勾在了蒙面人的身上，随着蒙面人的逃跑，毛线逐渐拆开，006的毛衣只剩下上面的一小半了。

黄狗警官埋怨006："你不让我开枪，这里面大洞套着小洞，他跑了，到哪里去追呀？"

006指指自己的毛衣："我把毛线的一头勾在了他的身上，你看，我的毛衣只剩一小半了。"

006说："咱俩顺着毛线往前追。还怕他跑到天上不成？"

"你的主意酷毙了！"说着黄狗警官和006顺着毛线往前追。

由于洞里太黑，追着追着"咚"一声，黄狗警官一头撞到了门上。

黄狗警官捂着脑袋："我的妈呀！撞死我了！这里有扇门。这门上好像有几个圆圈，好像还有字，看不清。"

006摸到几根树枝，把树枝点着，借着火光把门的上上下下看了一个仔细。

只见门上写着："把从1到7这七个数字，填到七个圆圈里，使每条直线上的三个数字之和都相等，且使外圈中的$a+c+e=b+d+f$，大门自开（图1）。"

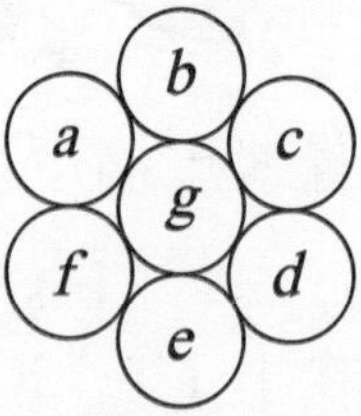

图一

黄狗警官问："006，这个问题要从哪儿下手？"

006想了想："1到7这七个数字，最中间的是4，而大小两头相加都相等：$1+7=2+6=3+5=8$。"

"我明白了。"黄狗警官说，"把4放在正中间，使得1，4，7；2，4，6；3，4，5各在一条直线上，它们相加都等于12。"

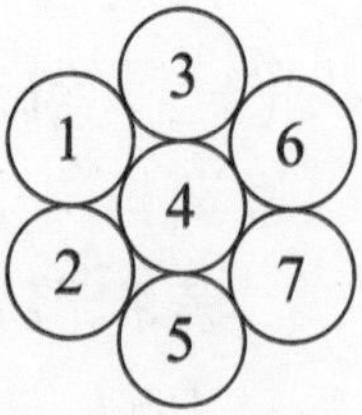

图二

"对！还有一个条件哪！但是道理差不多，我填上吧！"006把数字填进圆圈里（图2）。

刚刚填好,“呼”的一声,大门打开了,一股强烈的臊味从门里冲出,把黄狗警官和006熏得翻了一个跟头。

黄狗警官捂着鼻子大叫:“哇!这是什么味道?”

006捂脑袋:“我快窒息了!”

黄狗警官和006捂着鼻子冲进洞去,看见大熊猫晕死在地上。

黄狗警官一指:“大熊猫在这里,两个蒙面人跑了!”

006忙问:“还活着吗?”

黄狗警官用手在大熊猫鼻子底下试了试:“他还有呼吸。”

“那不要紧,是让臊味熏晕了。快叫醒他。”

“大熊猫,你醒醒!”黄狗警官不断摇动大熊猫。

大熊猫喘了口粗气:“我的妈呀!一个蒙面人冲我放了一个屁,就把我熏死过去了。这哪里是屁?纯粹是新式毒气啊!”

黄狗警官又问:“他们有没有伤害你?”

大熊猫一摸脖子,发现挂在脖子上的竹雕项链不见了,大熊猫张开大嘴,放声痛哭:“哇!我最宝贵的竹雕项链不见了,那是我妈妈的妈妈的妈妈传下来的。现在丢了,这可

怎么办哪？呜——哇——”

黄狗警官在一旁劝说道：“你不要难过，有神探 006 在，一定可以把竹雕项链找回来。”

黄狗警官回头问 006：“咱俩怎么办？”

006 一挥手：“走，咱俩到自由市场转一圈！”

“去自由市场干什么？”

“他们抢走竹雕项链，一定要转手卖出去的。自由市场人多眼杂，容易浑水摸鱼，把东西卖出去。”

黄狗警官点点头：“走！”

竹雕项链

ZHUDIAOXIANGLIAN

数学猴006和黄狗警官穿着便装来到自由市场，市场上十分热闹，卖什么东西的都有。

忽然，一只大灰狼神秘地凑到006的身边，小声问："办证吗？买美元吗？买黄金吗？"

006压低声音问："有宝贝吗？"

"有！"狼拍着胸脯说，"只要你说出是什么宝贝，没有，兄弟我给你抢去！"

006一个字一个字地说："竹——雕——项——链。"

"咦？"大灰狼的两只眼珠在眼眶里转了三圈，"我们刚刚弄到手的竹雕项链，你怎么知道？"

006皱起眉头，不耐烦地问："真啰嗦！你到底卖不卖？"

大灰狼掏出两枝蜡烛，同时点燃："这两枝蜡烛一样长，但不一样粗。粗蜡烛6小时可以点完，而细蜡烛4小时可以点完。当一枝蜡烛的长度是另一枝的2倍时，我拿着货在这儿和你交易，过时不候。"说完大灰狼头也不回，"噔噔"地走了。

黄狗警官摇摇头:“这只大灰狼也真怪,不用钟表,而用蜡烛计时。”

006 说:“黑社会里歪门邪道多了。咱们要把交易的准确时间算出来。”

“这可怎么算?”

“由于两枝蜡烛一样长,可以设它们的长度为 1 。”006 边说边写,“又设一枝蜡烛燃到它的长度是另一枝 2 倍所需要的时间为 **x**。这样,粗蜡烛 1 小时烧掉它长度的$\frac{1}{6}$,**x** 小时就烧掉了$\frac{x}{6}$,剩下 $1-\frac{x}{6}$。”

黄狗警官点点头:“是这么个理。”

006 接着说:“同样,细蜡烛 1 小时烧掉它长度的$\frac{1}{4}$,**x** 小时就烧掉了$\frac{x}{4}$,剩下 $1-\frac{x}{4}$。经过 **x** 小时,粗蜡烛的长度是细蜡烛长度的 2 倍,可以列出方程:

$$1-\frac{x}{6}=2\left(1-\frac{x}{4}\right),$$

$$\frac{6-x}{6}=\frac{2(4-x)}{4},$$

$$x=3。$$

要过 3 小时才能交易。”

“要过 3 小时哪?”黄狗警官急于要抓住罪犯,急得抓耳挠腮。

006 笑着说:“人家都说我们猴子是急脾气,你黄狗警官比猴子还急,哈哈!”

好不容易熬到了 3 小时，黄狗警官迫不及待地说：“3 小时到了。”

006 和黄狗警官瞪大了眼睛，四处张望，果然看见大灰狼晃晃悠悠地走了过来。

大灰狼冲他俩招招手：“嗨，你们还真行，准时来交易。”

006 往前走了两步，压低声音问：“货带来了吗？”

大灰狼把脖子一挺，一脸严肃地喊道：“这竹雕项链是稀世珍宝，怎么能在自由市场这么乱的地方交易？”

006 揪了一下大灰狼的袖子：“有话好好说，你嚷什么？这里你敢保证没有便衣警察？”

大灰狼吐了一下舌头，然后伏在 006 的耳边小声

说:“半小时后,到中心大街的一家咖啡馆里交易。咖啡馆的门牌号是一个左右对称的四位数,4 个数字之和等于为首的两个数字所组成的二位数。”大灰狼说完左右看了看,没发现什么特殊情况,一溜烟地跑掉了。

黄狗警官摇摇头:“又出一道数学题!”

“好玩!”006 遇到数学题可就来劲了。他说:“我设这个四位数是 $abba$。”

“哎,你为什么不设这个四位数为 x,而设成 $abba$ 呢?”黄狗警官有点不明白。

006 解释说:“因为这个数是左右对称的四位数,设成 $abba$ 可以用上给出的条件。”

006 开始分析题目:“大灰狼说‘4 个数字之和等于为首的两个数字所组成的二位数’。”

黄狗警官打断了 006 的话,问:“4 个数字之和是 $a+b+b+a$,可是为首的两个数字所组成的二位数怎么表示?”

“写成 $10a+b$ 啊!这时可以得到 $2(a+b)=10a+b$,$b=8a$,由于 a 和 b 都是一位数字,所以 a 只能取 1,b 等于 8。”

“这么说咖啡馆的门牌号是 1881 号了。”黄狗警官非常高兴,“走,到中心大街 1881 号的咖啡馆去!”

“我拿上钱!”006 提着一箱子钱和黄狗警官直奔咖啡馆。

打开密码箱

DAKAIMIMAXIANG

在咖啡馆前，一个穿着破衣服的穷狐狸，在向过路人要饭吃："可怜可怜我穷狐狸，给点吃的吧！"

黄狗警官看到穷狐狸一愣："奇怪？我第一次看见狐狸要饭。"

数学猴 006 也觉得奇怪："狡猾的狐狸怎么会要饭？咱俩要好好注意他。"

"好的。"时间紧迫，不容他俩多想。他俩赶紧迈步走进咖啡馆。

大灰狼迎了上来，笑呵呵地说："二位来得好快。"

006 提了提手中的箱子，说："我要看货。"

大灰狼却摇摇头："按道上的规矩，我应该先看钱。"

"看！" 006 "啪" 地打开了箱子，里面满满的都是金币。

"哇！这么多金币！看来我要发大财啦！"大灰狼看到金币，眼珠都发红了。

006 说："我把钱带来了，你的货呢？"

大灰狼交给 006 一张纸条："这上面写着价钱，你先算算这些金币够吗？钱够了再验货。”

006 打开纸条，黄狗警官急着问：“纸条上写的是什么价钱？”

006 看完了，把纸条递给黄狗警官。黄狗警官见纸条上写着：

买竹雕项链需要这么多金币：这些金币取出一半外加 10 枚给狐大哥；把剩下金币的一半外加 10 枚给狼二弟；再把剩下金币的一半外加 30 枚，赠送给猴神探 006，钱就分完了。

“嗬，还分给你一份哪！”黄狗警官把嘴一撇，“不用理他，他使的是离间计。006，快算出他要多少钱吧！”

“可以用倒推法来算。”006 边说边算，“最后他把剩下金币的一半外加 30 枚给了我，就分完了。可以知道，最后剩下的金币是 $30\times2=60$ 枚。”

黄狗警官点点头：“对！这 30 枚金币占了最后剩下的金币的另一半嘛。”

006 说：“往前推，第二次分是把剩下金币的一半外加 10 枚给狼二弟，分完剩下了 60 枚金币。可以知道第二次分时，总共有 $(60+10)\times2=140$ 枚金币。”

“我也会算了。”黄狗警官说，“他们要的总钱数是 $(140+10)\times2=300$，啊，300 枚金币哪！他们要得也太多了！”

“先答应他。把他稳住！你出去看看，要饭的狐狸还在吗？”006 小声说。

黄狗警官点点头就出去了。

006 回头对大灰狼说，“只要 300 枚金币？我带的钱有富余，看货吧！”

提到看货，大灰狼面露难色。他支支吾吾地说：“我不是不想给你们看，竹雕项链在我大哥手里。”

“你说的是狐大哥吧？”006 一语道破，“刚才我在门口，看到他在要饭吃哪！”

大灰狼吃了一惊：“啊，你都知道了？”

黄狗警官慌慌张张从门外跑进来：“不好，那个要饭的狐狸不见了。”

006 脸色突变：“啊，让他跑了？”

突然听到一声咳嗽，只见狐狸从外面走了进来。狐狸已经不是要饭的穷酸样了，只见他身穿黑色的燕尾服，脖领打着蝴蝶结，戴着墨镜，叼着雪茄烟，一副绅士派头，手提一个精致的密码箱走了过来。

狐狸冲 006 点点头：“谁说我跑了？我要完了饭，回家换了件衣服，才赶来。不算晚吧？”

006问:“狐狸先生,货带来了吗？”

狐狸一提手中的密码箱:“在密码箱里。不过,我这个密码箱很特殊,需要看货人自己来开。”

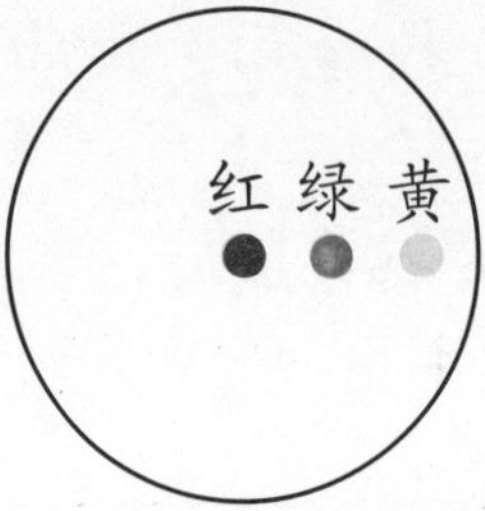

红 绿 黄

图3

006见这个密码箱的密码很奇特,是一个圆圈,里面并排着红、绿、黄3个小钮(图3)。

006问:“怎么个开法？”

狐狸递给006一支电子笔:“请你用这支电子笔,把这个圆分成大小和形状完全相同的两块。使一块中含有绿钮,另一块中含有黄钮。”

黄狗警官在一旁连连摇头:“这开箱的密码也太复杂了！这谁会啊？”

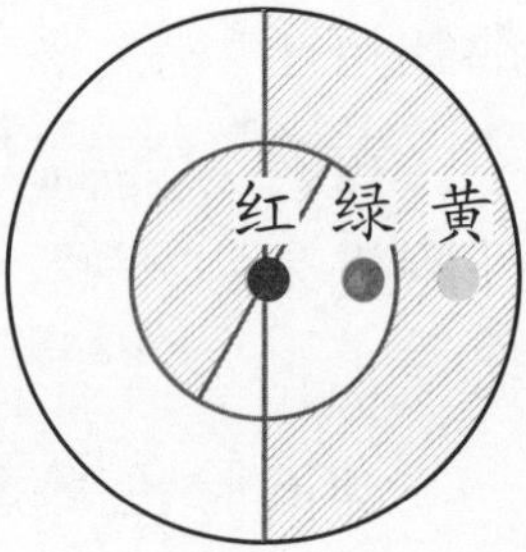

红 绿 黄

图4

狐狸“嘿嘿”一笑,说:“听说猴神探006的智力超过著名的神探007。这是对他的考验。”

006拿着电子笔琢磨了一下,然后动手画:“我先画一个同心圆,再画两条线。”006说着画出分法(图4)。

006刚刚画完,箱子里传出悦耳的音乐声,伴随着音乐声,密码箱慢慢地打开了。在场的人都十分吃惊,黄狗警官惊讶地说:“哇,真的打开了！”

大灰狼在一旁称赞:“006,聪明！”

黄狗警官往箱子里一看，发现里面没有竹雕项链，而有一把手枪："有枪！"

说时迟，那时快，狐狸迅速拿起手枪，对准黄狗警官："不许动！狼二弟，把装金币的箱子拿走！"

"好的！"大灰狼提起装金币的箱子，大步走出咖啡馆。

虎穴擒敌

HUXUEQINDI

黄狗警官着急地说："他们把金币抢走了，咱们快追吧！"

数学猴 006 一摆手："不必了！他们拿走的是一台无线电发射仪。"说完 006 从桌子下面拿出一个和大灰狼拿走的一模一样的箱子。

"装金币的箱子在这儿哪！"006 说，"他带走的发射仪能不断地发射电波，我这儿有接收仪，时刻知道他俩在什么地方。"

黄狗警官一竖大拇指："真酷！"

大灰狼提着箱子，和狐狸兴高采烈地往前走。

狐狸得意地把嘴一撇："哼，我以为 006 有多了不起，我略施小计，就把这笔巨款弄到手啦！"

"一个瘦猴，怎么能和大哥比哪？"大灰狼突然把箱子上下提了提，"咦，不对呀！我觉得这个箱子怎么这样轻啊？"

狐狸说："快打开看看！"

大灰狼打开箱子，发现里面一个金币也没有，只有

一台无线电发射仪。

大灰狼失望地说:“啊,里面没有金币,只有一台仪器!”

狐狸眉头紧皱:“这是一台无线电发射仪,坏了,我们被006跟踪了。”

“咱们快把这个无线电发射仪扔了吧!”

“不。”狐狸恶狠狠地说,“咱俩来个将计就计,带着它躲进虎窝,让老虎去收拾他。”

大灰狼一拍屁股,蹿起了老高:“大哥的主意绝了!”

006拿着接收仪和黄狗警官一直在后面紧追。黄狗警官抹了一把头上的汗,问:“他俩跑到哪儿去了?”

“仪器显示,狐狸他们就在前面。”

黄狗警官一挥手:“赶快追!”

他俩追着追着,就追到老虎洞前了。

006看见了老虎洞,倒吸了一口凉气:“不好,狐狸钻进老虎洞里了。”

“啊?”黄狗警官也吓了一跳,“这只老虎外号叫‘霸王虎’,蛮不讲理。咱俩可要格外小心!”

突然“嗷——”的一声,老虎返回洞穴了。他指着006和黄狗警官喝道:“你们往里偷看什么?是不是想偷我的东西?”

006解释说:“我们只是路过,随便看看。”

老虎疑心未消,瞪着两只灯笼般的大眼睛吼道:“谁敢惦记我的东西，我就把谁的脑袋拧下来！”

006和黄狗警官互相看了一眼，黄狗警官吐了一下舌头：“霸王虎回来了，咱们不能硬闯啦！”

006抬头，看见树上停着一只松鼠。006说：“我来问问小松鼠。”

“小松鼠，你知道霸王虎什么时候不在家吗？”

松鼠皱了一下眉头，说：“我要查查记录本，看看他在什么时间段不出去。”

松鼠戴上眼镜，看着记录本念：“霸王虎每天7点到9点肯定不去爬山，9点到12点不去玩水，13点到14点不去酒吧，8点到10点不去捕食，13点到14点不去找母老虎。完了！”

黄狗警官急了："你这是什么记录啊！只记霸王虎不去干什么事。"

松鼠把脖子一梗，斜眼看着黄狗警官："我就爱记老虎在什么时段不去哪儿，你爱听不听！"

黄狗警官火往上蹿："嘿，霸王虎门口的小松鼠也这么霸道！"

006赶紧出来打圆场："小松鼠说的这个情报也很重要，从中可以分析出，在哪个时间段霸王虎最有可能不在家。"

黄狗警官一脸怒气，问："这么乱，怎么分析啊？"

"可以先列张表。"006画了一张表，指着表说，"霸王虎每天7点到9点肯定不去爬山，在7点到9点这个时间段就有可能在家。在这张表上，把霸王虎可能在家的时间段画上'×'。根据小松鼠提供的情报，可以在表上画出许多'×'。"

	7~8点	8~9点	9~10点	10~11点	11~12点	12~13点	13~14点
爬山	×	×					
玩水			×	×	×		
去酒吧							×
捕食		×	×				
找母虎							×

006又说："凡是画'×'的时间段，可以肯定霸王虎

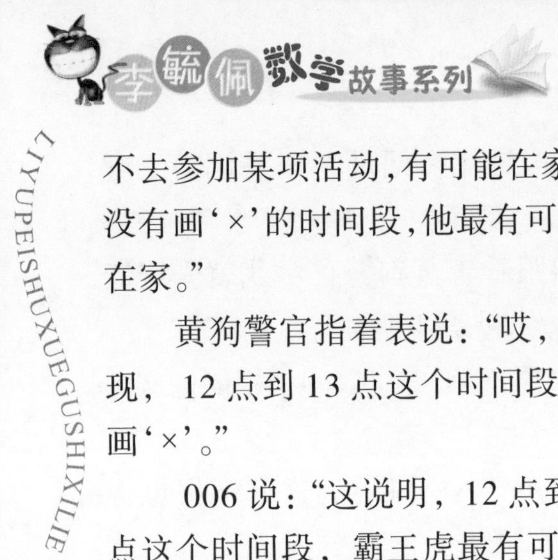

不去参加某项活动，有可能在家。而没有画‘×’的时间段，他最有可能不在家。”

黄狗警官指着表说：“哎，我发现，12 点到 13 点这个时间段没有画‘×’。”

006 说：“这说明，12 点到 13 点这个时间段，霸王虎最有可能不在家，在这个时间段进虎穴最保险。”

“咱俩就等这个时间进去。”说完黄狗警官和 006 躲在草丛里，等老虎从洞里出来。

林中血案

LINZHONGXUEAN

忽听“嗷——”一声吼，霸王虎蹿出了洞。他看了一下手表：“12点到了。该去泡酒吧喽！”说着“呼”的一声，带着一股山风走了。

数学猴006一摆手：“快，冲进去！”

“冲！”黄狗警官和006迅速冲进了虎穴。

此时，大灰狼和狐狸正躺在洞的深处休息。

大灰狼得意地说：“咱俩藏在这儿，绝对保险。006、黄狗警官拿咱们没辙！”

狐狸干笑了两声：“嘿嘿，006、黄狗警官敢来，霸

王虎会把他们吃了！”

“哈哈……”两人发出会心的笑。

“不许动！举起手来！”黄狗警官用枪对准了大灰狼和狐狸。

狐狸先是一愣，接着就大喊：“霸王虎快来呀！006私闯虎穴啦！”

006迅速蹿了过去：“你叫也白叫，霸王虎去泡酒吧了，把你抢走的竹雕项链还回来吧！”说着从狐狸的脖子上拿下了竹雕项链。

“完了！”狐狸一屁股坐在了地上。

黄狗警官用枪一捅狐狸：“走，去警察局！”

狐狸哭丧着脸说：“真不想去呀！”

黄狗警官和006押着狐狸和大灰狼，走出了虎穴，押送到了警察局，把竹雕项链归还给了大熊猫。

一天，黄狗警官和006正在林中散步。

黄狗警官说：“解救大熊猫，夺回竹雕项链，006，你的功劳不小啊！”

“事情总算解决了，我也该休息了。”006刚要走，一只小山羊从左边跑来，一只老母鸡从右边飞来。

小山羊气急败坏地说：“黄狗警官，不好啦！杀人啦！我的弟弟被杀啦！”

老母鸡说话的声音都变了调：“我的 4 只小鸡被强盗吃啦！哇！”说完放声大哭。

黄狗警官冲数学猴做了一个鬼脸：“哇！ 006，看来你是休息不成啦！”

006 一挥手：“快去现场看看！”

他们先来到小山羊的家，看见地上有一摊血迹。

006 问小山羊：“说说发生命案的过程。”

小山羊咽了一口口水，定了定神：“我一早就出去打草，中午回来就看见地上这摊血，再找，弟弟不见了！我的好弟弟呀！呜——”

006 和黄狗警官在现场仔细察看凶手留下的痕迹，黄狗警官突然发现墙上用血写成的一个特殊符号(图 5)。

图 5

黄狗警官叫道：“006，你看这是什么？”

006 走过来仔细地看了看：“像中国的八卦，先把它照下来。”“喀嚓！”006 用相机把这个符号照了下来。

006 对黄狗警官说：“这里检查完了，该去老母鸡家了。”

他俩刚要走，母兔带着哭声就跑来了：“006，我家也发生血案啦！我的一双儿女被坏蛋杀了！要替我的儿女报仇啊！”

“去看看！”006 和黄狗警官由母兔带着到了她的家，黄狗警官很快就发现，墙上也有一个用血写成的特殊符号（图 6）。

图 6

黄狗警官用手一指：“看！这里也有一个八卦！”

“照下来！”006 立刻照了相。

他俩又来到母鸡家，母鸡说：“我的 4 个儿女都没了，你们一定要抓住罪犯！”

黄狗警官往墙上一指：“这里发现了第三个特殊符号（图 7）。”

图 7

黄狗警官问：“006，你说凶手为什么要留下这些符号呢？”

006 说：“我也正在思考这个问题，凶手留下这些特殊符号，看来是想告诉我们点什么。”

突然，母兔拿着一封信跑了进来：“006，我在门外捡到一封信。”

“快拿来看看。”006 打开信，信的内容是：

006：

你快把我狐狸大哥和大灰狼兄弟从监狱里放出来。我已经杀了（图 8）只羊，（图 9）只兔，（图 10）只鸡。这是对你的警告！明天你必须在离小山羊家（图 11）米处的广场，把我狐狸大哥和大灰狼兄弟放了，否则，我明天

晚上将杀死(图 12)只猴子!

杀人魔王

———	— —	— —	———	———
— —	———	— —	———	———
— —	— —	———	— —	———
图 8	图 9	图 10	图 11	图 12

“好凶狠的罪犯!”黄狗警官说,“这个自称叫‘杀人魔王’的罪犯,杀气十足,却一直不肯露面!”

“这个‘杀人魔王’既然会画出这些特殊符号,说明他的智商不低。”006 说,“对这种罪犯只能智取,不能强攻。”

争抢钥匙

ZHENGQIANGYAOSHI

数学猴006说："咱们把他留下的5个特殊符号，分析一下。"说着，把5张照片一字排开放在了地上（图13）。

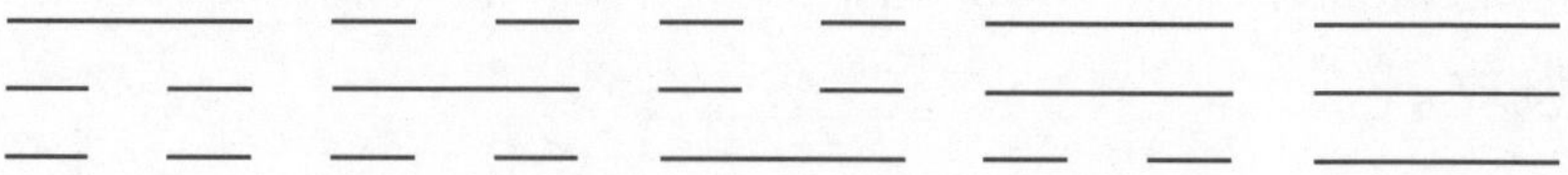

图13

006说："把它们放在一起，便于比较它们有哪些相同的地方，有哪些不同的地方。"

黄狗警官仔细观察了一会儿："哎，我发现每个符号都是由3条连续的或中间断开的短横线组成。"

006分析说："你看，这里连续的短横线的位置很有讲究，如果只有一条连续的短横线，它在最上面时表示1，它在中间时表示2，它在最下面时则表示4。"

黄狗警官问："这个符号，在它上面和中间各有一条连续的短横线时，又表示多少？"

006说："这个符号（图14）应该表示1 + 2 = 3。"

"这么说，杀人魔王让咱们明天在离小山羊家3米

处的广场，把狐狸放了。符号(图 15)一定表示 1 + 2 + 4 = 7，也就是说，否则，他将杀死 7 只猴子！”黄狗警官回头问 006，“怎么办？放吧，等于放虎归山。不放吧，7 只猴子有生命危险。”

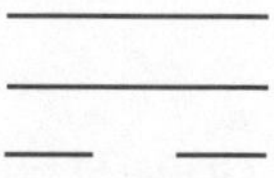

图14

“放！咱们设个圈套，要引蛇出洞！”

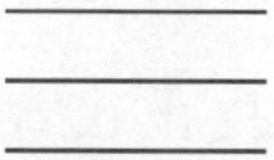

“放？放了可就抓不回来了。”

图15

006 说：“哪能随便放？要大张旗鼓地放！”

黄狗警官吃惊地说：“啊？还要大张旗鼓地放？”

“对！快准备好木栅栏，贴出告示，说明天上午 9 点在离小山羊家 3 米处的广场，释放狐狸和狼。”

数学猴 006 可忙开了，他在广场上用木栅栏围成一个圆形场子，在 A、B 处各立了一根木桩，木桩上各有一个铁环(图 16)。

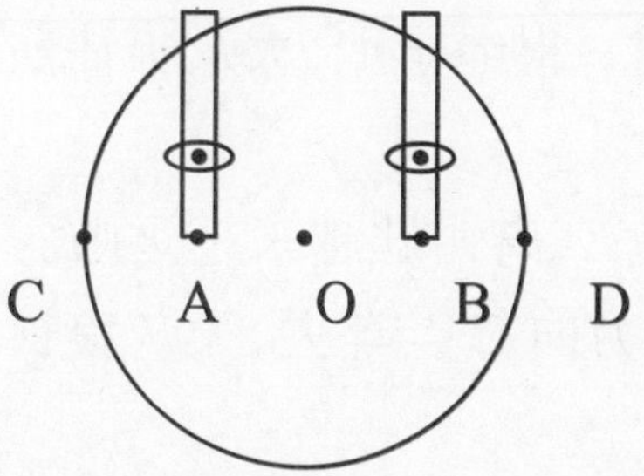

C A O B D

图 16

006 向黄狗警官介绍场子各部分的尺寸：“这个圆形场子半径是 20 米，**A** 和 **B** 各在半径的中点。在 **A**、**B** 点各立了一根木桩，木桩上各有一个铁环。”

006 又拿出一条长绳：“这条绳长是 30 米。我把绳子从两个铁环中穿过。再用两把锁，把狐狸锁在绳子靠 A 点的这端；把大灰狼锁在绳子靠 B 点的另一端。”

说着用两把锁，把狐狸和大灰狼各锁在绳子的一端。

006又把钥匙挂在C、D点："我把开狐狸锁的钥匙挂在C点，把开狼锁的钥匙挂在D点。"

这时来看热闹的动物越聚越多，都想看看006怎样释放狐狸和大灰狼。

006看人来得差不多了，就当众宣布："我正式宣布释放狐狸和大灰狼，锁要他们自己开。钥匙离他俩近在咫尺，谁能拿到钥匙，谁就可以打开锁，获得释放。现在开始拿钥匙！"

狐狸听说开始，抢先向C点的钥匙奔去："我得快去拿钥匙！"

几乎同时，大灰狼奔向了D点："哈，我张手就可以拿到钥匙！"

因为狐狸和大灰狼拴在同一根绳子上，大灰狼往前一跑，就把狐狸拉了回来。

狐狸感到奇怪："咦？我怎么离钥匙越来越远啦？我要拼命拿到钥匙！"狐狸用力向C点奔去，大灰狼被拉了回来。

大灰狼也感到奇怪："谁在拉我往回跑？"大灰狼回头，发现是狐狸在拉他。

大灰狼急了，指责狐狸说："我去拿钥匙，你为什么把我往回拉？"

狐狸也正一肚子火，他冲大灰狼叫道："是你拉我！

怎么会是我拉你呢？”

大灰狼来气了：“好，你不讲理，我就用力往前拉呀！哈，快拿到钥匙啦！”大灰狼的力气很大，他用力往前一拉绳子，就把狐狸拉到了木桩上。

狐狸大叫：“哇！把我快拉进木桩里了。”

眼看大灰狼要够到钥匙了，黄狗警官有点紧张。他捅了006一下：“006，你看！大灰狼快够到钥匙啦！”

006摇摇头：“没事，他够不着。”

“怎么够不到？绳长30米，而**AD**的距离恰好也是30米呀！”

“我在给他俩上锁时，把绳子两头各向里折了0.1米。差0.2米，大灰狼是够不到的。”

这时大灰狼和狐狸为了能先拿到钥匙，争吵起来。

大灰狼瞪着一对红红的大眼睛，叫道：“你应该让我先拿到钥匙！”

狐狸把尾巴一甩：“凭什么？我是大哥，我应该先拿到钥匙！”

“什么大哥不大哥的，不让我先拿到钥匙，我就咬死你！嗷——”大灰狼率先发起攻击。

“敢和大哥讲价钱？你不想活了？嗷——”狐狸也不示弱。

大灰狼和狐狸对骂了起来。

“好，骂得好！”

“玩命骂呀！”

006和黄狗警官在一旁拍手叫好。

巧摆地雷阵

QIAOBAIDILEIZHEN

突然，一只戴着眼罩的独眼豹子跳进了场子。豹子厉声喝道："住手！都什么时候啦？你们还自相残杀？"

狐狸看到独眼豹子，眼睛一亮："哇！豹子老弟来了，我们有救啦！快拿钥匙，把我的锁打开。"

006眼睛一亮："哇！杀人魔王出现啦！"

黄狗警官吃惊地说："原来杀人魔王是独眼豹子。"

只见独眼豹子一蹿，就到了C点，伸手拿到了钥匙。

狐狸着急："豹子，快点！你快点给我打开锁呀！"

"大哥别着急，我这就给你打开锁。"说着独眼豹子给狐狸开锁。

可是独眼豹子就是打不开锁。

"哇呀呀——，我怎么打不开呀？"独眼豹子急得"哇哇"直叫。

这时006从腰间拿出一副手铐，边抖动手铐边说："独眼豹子，杀人魔王。你拿的那把钥匙是开我手里这副手铐的。你快把这副手铐打开，给自己戴上吧！省得我们费劲。”

“哇！上006的当了，快跑吧！”独眼豹子蹿出栅栏，落荒而逃。

狐狸大喊：“豹子，别忘了把我俩救出去！”

独眼豹子跑得实在太快，一转眼就没影了，追是来不及了。

黄狗警官狠狠地跺了一下脚：“独眼豹子是杀人魔王，他已经杀了7只动物了，不能放过他，一定要把他捉拿归案。”

“饶不了他！”

“怎么才能抓到他呢？”

数学猴006低头想了一下：“咱们已经打完了第一个战斗，知道了杀人魔王就是独眼豹子。现在需要打第二个战斗。”

“这第二个战斗又该如何打？”黄狗警官对第二个战斗很感兴趣。

006小声说：“独眼豹子一定会到监狱去救狐狸和狼，我给他摆个地雷阵。”

“地雷阵？好玩！”黄狗警官和006一起摆地雷阵。

天已经黑了，独眼豹子在监狱外窃探。

独眼豹子小声自言自语：“我必须把狐狸大哥和大灰狼兄弟救出来！不然的话，人家该说我独眼豹子不讲义气了。”

独眼豹子的活动被看守监狱的熊警察看见了:“啊,独眼豹子真来了,按着006的布置,我该装睡了。”

熊警察伸了一个懒腰:“呵——真困哪!现在反正也没什么情况,不如我眯它一小觉!”

看守监狱的熊警察,抱着枪睡着了。

独眼豹子看到时机已到,直奔监狱的大门而去。

跑到大门口,独眼豹子侧耳往里一听,里面“呼噜——呼噜——”,熊警察睡得正香。

“熊警察睡着了,我赶紧去救人!”独眼豹子刚想打开监狱门,突然监狱上方的探照灯“刷”的一声全亮了,几盏探照灯射出的强光,把独眼豹子罩在了中间。

“独眼豹子,你可好啊!”

独眼豹子定睛一看,006和黄狗警官出现在眼前,

再一看，熊警察也站了起来，端着枪，枪口对着自己。

独眼豹子大叫："哇，上当啦！"

006笑嘻嘻地说："独眼豹子，我们等你好久了！"

独眼豹子"嘿嘿"冷笑了两声："我豹子可是短跑冠军，我要想逃，你们谁能追得上？"

"想逃？"006不慌不忙地说，"你正站在一个地雷阵的中间，你要是乱走一步，就会踩上地雷。"

独眼豹子低头一看，发现自己站在了一个图形的中间(图17)。他紧张地说："啊！我陷入了地雷阵，应该怎样走才能出去？"

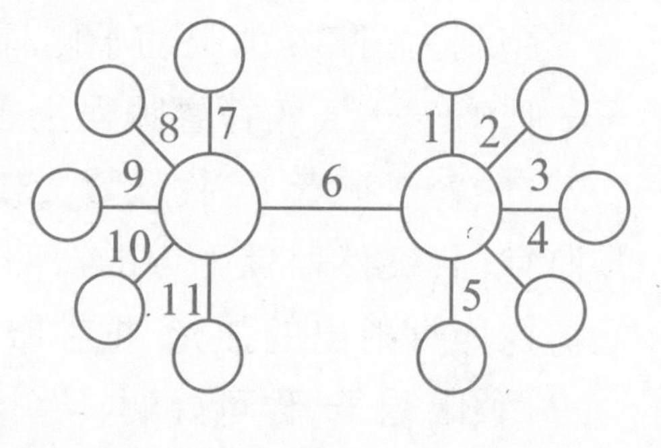

图17

"出地雷阵不难。"006说，"地雷阵短线上标有从1到11共11个数，你要把0到11这12个数填入圆圈中，使得短线上的每一个数都等于它两端圆圈内数之差。如果你能全部填对，就可以顺利走出地雷阵。"

"如果我填错了一个，就会踩上地雷？"

006点点头："对极啦！"

大蛇和夜明珠

DASHEHEYEMINGZHU

“天哪！我从哪儿开始填哪？”独眼豹子战战兢兢地开始填数，“我的腿怎么直哆嗦呀？”

独眼豹子左填一个不对，右填一个也不对。不一会儿就满头大汗：“我真的不会填哪！与其被地雷炸死，还不如当他们的俘虏呢！006，我投降！”说完独眼豹子高举双手投降。

006笑眯眯地说：“识时务者为俊杰，投降就好！”

独眼豹子问：“006，我应该如何填，才能填对？”

006说：“关键是如何填好位于中心的两个数。其中一个填0最好，这时你在0的周围的圆圈中填几，线段上的数也就是几。此时你应该在0的周围选大数来填，即7到11。”

独眼豹子按着006说的方法填好了一半（图18）。

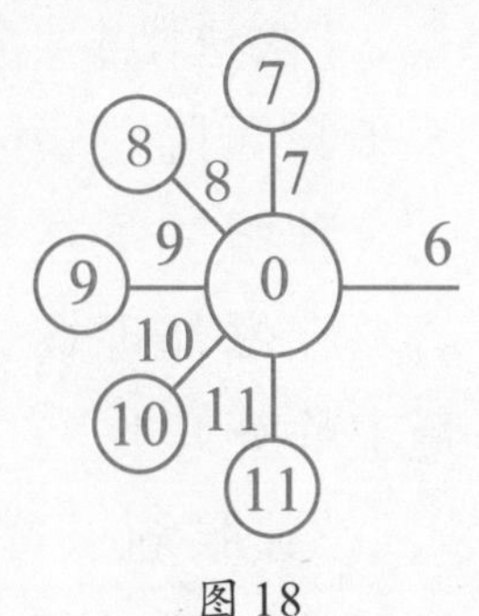

图18

“嘿！知道了填的方法，填起来并不难！”独眼豹子又问，“剩下的一半怎么填？”

“自己去想！”

“自己想就自己想！”独眼豹子边说边填，“由于正中间的短线段上写着6，那边的圆圈已经填0了，这边的圆圈就要填6。没错，就是6！”

工夫不长，独眼豹子把另一半也填完了(图19)：

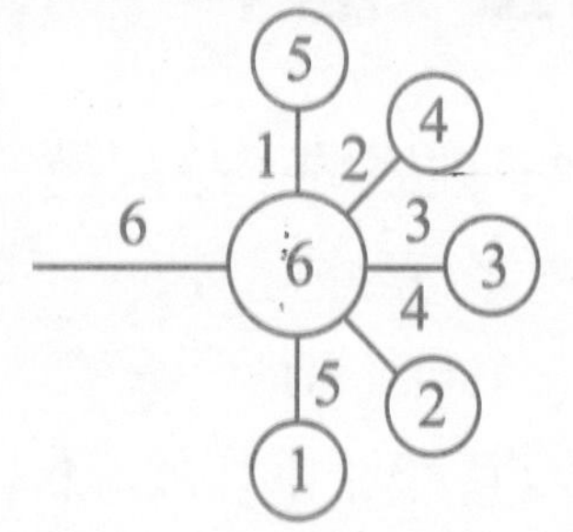

图19

“哈！我填完了！”

独眼豹子高兴地在地雷阵里边跳边唱：“我全填对了！啦啦啦——我可以走出地雷阵了！啦啦啦——”

006亮出了手铐：“独眼豹子，你既然投降了，快把手铐戴上吧！”

“戴手铐？”独眼豹子把独眼一瞪，“不，我可不戴那玩意儿，我还要逃走！”说完独眼豹子就要往外跑。

006一弯腰，把地雷阵的9改成为8：“我把地雷阵中的9改成8，让你逃！”

“快逃吧！”独眼豹子不顾一切，拼命往外跑。刚跑一步，“轰隆”一声地雷爆炸，把独眼豹子炸上了天。

独眼豹子在半空中还大叫：“哇！我升天啦！”

在爆炸现场，黄狗警官高兴极了：“哈，咱们把杀人魔王炸死喽！”

“独眼豹子真的炸死啦？”006到处在找独眼豹子的尸体，“死了怎么不见他的尸体呢？”

黄狗警官摸了一下后脑壳:“那准是把他炸成肉末了!”

006非常严肃地说:“不对,地上连点血迹都没有,独眼豹子一定是跑了,咱俩分头去追!”

再说独眼豹子被地雷炸上了高空,升到最高处又从天上掉了下来,正好砸在一团富有弹性的东西上。

独眼豹子大叫一声:“哇,摔死我啦!”

独眼豹子低头一看,自己是砸在盘成一团的大蛇身上。

“呀,砸死我啦!”大蛇一看是独眼豹子砸他,怒火中烧,紧紧缠住独眼豹子,张口就要吞:“你好大胆!敢砸我?我把你当做一顿美餐吃了吧!”

独眼豹子拼命挣扎,高喊:“冤枉啊!我是被地雷炸到这儿的!”

大蛇不理这一套,张开血盆大口,对准独眼豹子的头,就要往肚子里吞。

“大蛇口下留情!”006及时赶到,“独

眼豹子是我们通缉的要犯，我们要把他捉拿归案。”

大蛇把脖子一梗：“他砸了我，不能白砸呀！”

006问：“你想怎么办？”

“嗯——”大蛇想了想，说：“你若能帮我解决一个难题，我就把独眼豹子交给你。”

“说说看。”

“我妈临死前，留给我两箱夜明珠。这两箱夜明珠的数目都是三位数，其中一箱夜明珠数的个位数是4，另一箱夜明珠数的前两位是28，两箱夜明珠数以及夜明珠数之和恰好用到了0到9这十个数。我妈说，算不出这两箱夜明珠各有多少，这夜明珠就不归我。你能告诉我，这两箱夜明珠各有多少吗？”

大蛇刚说完，独眼豹子就抢着说：“你真笨！打开箱子数数，不就全知道了嘛！”

大蛇把眼睛一瞪：“我吞了你！如果我妈让我打开箱子数，我还用求别人！”

山羊转圈

SHANYANGZHUANQUAN

数学猴006略微想了想：“既然这里出现了10个不重复的数，那么两个箱子里的夜明珠数都是三位数，它们的和必然是四位数。不然的话，就凑不齐这10个数。”

大蛇点点头：“说得对！”

006接着说：“其中一箱夜明珠数的个位数是4，可以设这箱的夜明珠数为**AB**4。另一箱夜明珠数的前两位是28，可以设这箱的夜明珠数为28**C**。”

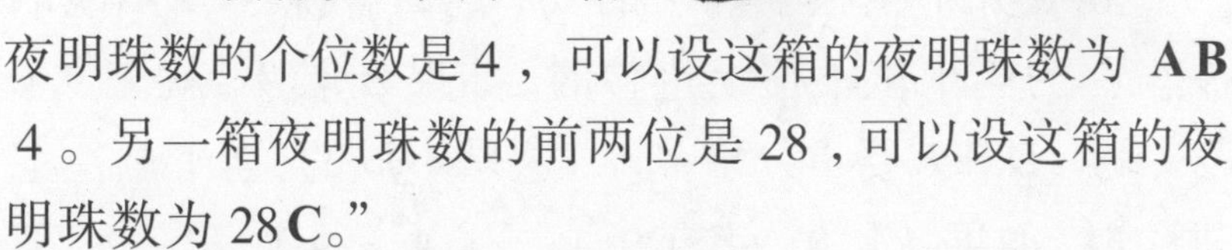

独眼豹子虽然被大蛇紧紧缠住，可是他的嘴却一点不闲着，他抢着说：“可是和是个四位数，一个数字也不知道，看你怎么办？”

大蛇把缠住独眼豹子的身子又紧了紧：“独眼豹子，你死到临头了，还敢瞎说？”

独眼豹子立刻求饶：“勒死我了，我不说了，我不说了。”

006分析道："可以设和为 $DEFG$。这时就有：

$$\begin{array}{r} A\quad B\quad 4 \\ +\quad 2\quad 8\quad C \\ \hline D\quad E\quad F\quad G \end{array}$$

由于 D 是 A 加2进位得到的，D 只能是1。"

独眼豹子说："没错，$D=1$。"说完就后悔了，他自言自语地说："你说我怎么就不能成为哑巴呢？"

大蛇狠狠瞪了独眼豹子一眼。

006说："再来分析 A。由于 A 加2要进位，A 的值一定要大。又由于8已经用了，A 只可能取7和9。"

独眼豹子插话："猴子，A 到底是取7呀，还是取9？你得说准了呀！"

看来想不让独眼豹子说话是万万不能的。

006并不生独眼豹子的气，他回答说："A 不能取9。因为当十位不往上进位时，如果 A 取9，就有 $9+2=11$，D 和 E 要重复取到1，这是不成的；当十位往上进位时，如果 A 取9，就有 $9+2+1=12$，$E=2$，但是2已经在28C中出现过了，又重复出现，也不成。"

独眼豹子立刻回答："那 A 一定取7了。"

"对，$A=7$。"006说，"剩下就好求了。$E=0$，$B=6$，$F=5$，$C=9$，$G=3$。这时可以知道，一箱有764颗夜明珠，另一箱有289颗夜明珠。你总共有1053颗夜明珠。"

大蛇听说有这么多夜明珠,眼睛一亮:“哇!我有一千多颗夜明珠,我是大富翁喽!”说着高兴地扭动身体,跳起了“金蛇狂舞”。

大蛇这么一跳,放松了对独眼豹子的缠绕,独眼豹子眼珠一转:“此时不跑,更待何时?跑!”“嗖”的一声跑了。

006 对大蛇说:“你的夜明珠数我给算出来了,把独眼豹子交给我吧。”

大蛇低头一看:“呀!我一高兴,让他跑了!”

正当大家不知该怎么办时,黄狗警官跑来报告信息:“006,有人看见独眼豹子往东山跑了!”

听说东山,006 不禁“啊”了一声:“东山的山洞极多,地势复杂,不好抓呀!”

黄狗警官紧握双拳:“独眼豹子是杀人魔王,不好抓也得去抓,一定要把他抓住,绳之以法!”

大蛇也来气了:“走,我和你们一起去抓这个坏蛋!”

006、大蛇和黄狗警官一溜小跑追赶独眼豹子,突然看见一只

山羊在一个圆圈里乱转。

006十分奇怪，回头问黄狗警官："你看那只山羊在圆圈里乱转，他在干什么？"

黄狗警官摇摇头："可能有精神病。"

听了黄狗警官的回答，山羊不高兴了："你才有精神病哪！我这是迫不得已，不转不成啊！"

黄狗警官问："谁让你转圈的？"

山羊无可奈何地说："是独眼豹子！我下山时刚好碰到他，他抓住我说，后面有人追他，现在没工夫吃我，说完在地上画了一个圆圈，又写了一圈0和1（图20）。"

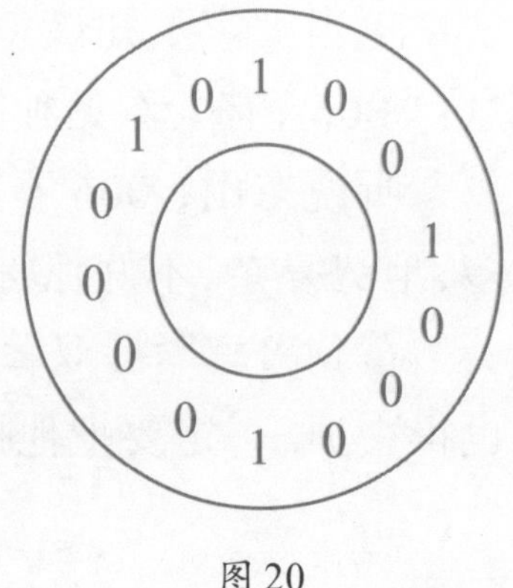

图20

006问："他让你在这个圆圈里乱转？"

"不是。"山羊摇摇头，"独眼豹子对我说，你可以从任何一个数字开始，按顺时针或逆时针读一圈，依次读完全部数字。如果你能找出最大的数和最小的数，你就可以跳出圈逃走。找不出来，只能在圈里转，等我回来吃你！"

"真不讲理！"黄狗警官低头仔细看了一下地上的圈，"哎呀，这一圈有14个数哪！最大的数要多大呀？"

0活了

0HUOLE

006指着圆圈说："这里面有规律。你要想找最大的数，就应该让数字1尽量往高位上靠。"

"噢！"黄狗警官明白了，"我看出来了！应该是10100100010000。这个数是十万零一千零一亿零一万。"

山羊听到这个数，身体晃悠了两下："我的妈呀！这个大数看得我直晕！"

"对！"006又问，"最小数呢？"

黄狗警官胸有成竹地说："找最小数，就应该让1尽量往低位上靠。最小数是00001000100101。十亿零十万零一百零一。"

"找到最大数和最小数，我该走了。"山羊跳出圈要走。

"慢！"006拦住山羊，"你应该帮助我抓住这个杀人魔王。"

山羊问:“我怎样帮助你?”

006对山羊耳语:“我让蛇盘成一个圆,然后在大圆圈边上充当一个0,我和黄狗警官藏起来,然后你这样这样……”

“好,好!”山羊频频点头。

不一会儿,独眼豹子跑来了,他问山羊:“你没有找到最大数和最小数吧?没找到就乖乖地让我吃吧,我饿极了。”

山羊把眼睛一瞪:“谁说我没找到?最大的数是一百零一万零十亿零十万。”

听到这个数字,独眼豹子一愣:“不对呀!你说的这个大数是15位,而我记得刚才写的是14个数啊!”

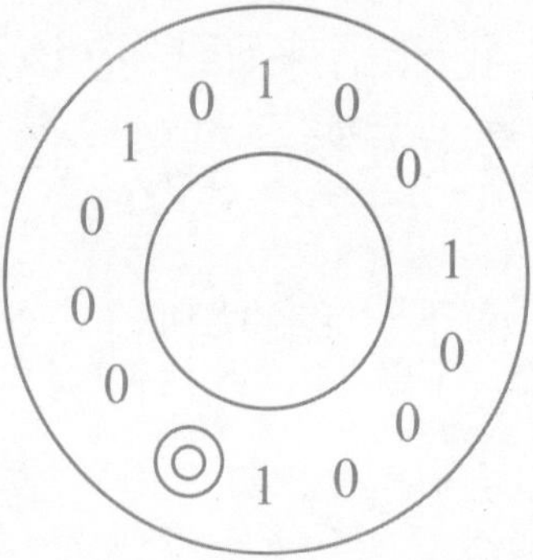

山羊把头往上一扬:“不信,你自己查一查呀!”

“嗯,我是要检查检查。”独眼豹子沿着圆圈,逐个检查这些数(图21)。

图21

突然,独眼豹子发现了由蛇盘成的0:“嗯?这个0怎么这么大呀?”

山羊说:“你在外面看着大,你要站在0里面看就不大了。”

“是吗?我站进去看看。”独眼豹子半信半疑站进了

由蛇盘成的0里。

独眼豹子刚刚站进去，大蛇立刻把独眼豹子缠住。

大蛇说："我看你往哪儿跑！"

独眼豹子一看0变成了大蛇，知道自己上当了。他大叫："呀！这个大0是条蛇，我落入圈套啦！"

这时，006和黄狗警官走了出来。

黄狗警官指着独眼豹子说："看你往哪儿跑！"

独眼豹子把嘴一撇，说："猴子设圈套让我钻，我不服！"

"你服也好，不服也好，先戴上手铐吧！"黄狗警官给独眼豹子戴上手铐。

006说："你身上背着好儿条人命哪！不服也要接受审判。"

独眼豹子提高了嗓门喊道："哼！我有一个人见人怕的铁哥们儿，他一定会来救我的！"

"先别吹你那个铁哥们儿，你现在要去监狱。走！"黄狗警官把独眼豹子押送进监狱。

006冲独眼豹子摆摆手："我们等着你的铁哥们儿来救你。"

006对黄狗警官说："你先去忙别的案子，我在这儿等他的铁哥们儿。”说完006加强了在监狱外面的巡视。

一连好几天没见什么动静，006有些纳闷：“我在这儿守候好几天了，独眼豹子的铁哥们儿怎么还不来？”

黄狗警官举着一封信急匆匆跑来：“006，我在监狱的后门的门缝里，发现了一封寄给独眼豹子的信。”

“快给我看看。”006接过了信。“这一定是独眼豹子的铁哥们儿来的信。”

黄狗警官催促：“快打开看看。”

信的内容是：

亲爱的铁哥们儿——独眼豹哥：

听说你被006抓住，我将于 X 日 Y 点前去救你，如有可能，将狐狸大哥、狼兄弟一起救出。请你提前和狐狸大哥、狼兄弟串通好，做好准备。

你的铁哥们儿鬣狗

黄狗警官摇摇头：“这 XY 是哪日几时啊？”

006翻过信纸，兴奋地说：“这信的背面还有图哪。”

鬣狗劫狱

LIEGOUJIEYU

信的背面写着：

下面的两个立方体，是同一块立方体木块从不同方向看的结果。这块木块的六个面上分别写着"2"、"4"、"8"、"8"、"*X*"、"*Y*"六个数字和字母(图 22)。*X*的数值在*X*的对面，*Y*的数值在*Y*的对面。

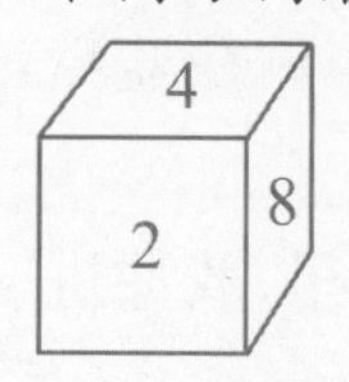

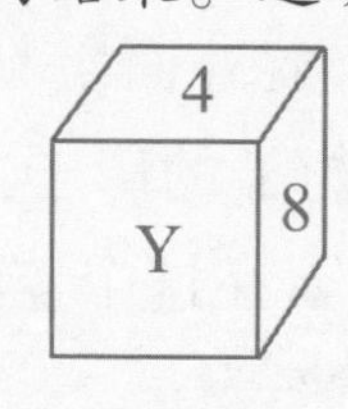

图 22

006 说："这 *XY* 的秘密就藏在这个木块中。"

黄狗警官皱起眉头："要转着圈看这块木块，还不转晕喽？"

"你仔细看，左图和右图有什么区别？"

黄狗警官仔细看了看："上面都是 4 ，右面都是 8 。只是左图前面是 2 ，右图前面是 Y。"

黄狗警官认真地想了一会儿："上面、右面一样，可是前面不一样，这不对呀！前面应该一样才对。这是怎么回事哪？噢——我想起来了，这六个数中有两个 8 。

右边是 8 ，左面肯定也是 8 ，这样，***Y*** 和 2 应该是对面，***Y*** = 2 。”

“分析得对！”006 鼓励说，“接着分析。”

“六个面中，前、后、左、右、上都知道了，只有下面不知道，不用问，下面肯定是 ***X***，这样 ***X*** 和 4 是对面，***X*** = 4 。”黄狗警官高兴地说，“这么说鬣狗要在 4 日半夜 2 点来劫狱。”

“来得好！我要让这个小鬣狗有来无回！”006 握紧右拳，用力地挥了一下。

4 日半夜，夜深人静，在监狱外面鬣狗偷偷往监狱里看，监狱的窗户上映出独眼豹子的影子。

鬣狗自言自语：“哇！豹哥就在这个监狱里，我冲进去就可以把我的铁哥们儿救出来。”

鬣狗刚想往监狱里冲，突然又停住了脚步：“不成，006 狡猾狡猾的，别上他的当！我要仔细观察一下监狱的大门如何开法。”说完他就蹑手蹑脚走到监狱的大门外。

他看到监狱门上挂着金、银、铜、铁四把钥匙，下面有写着 1 、2 、3 、4 标号的四个钥匙孔。

鬣狗吃了一惊：“这个监狱大门可真怪呀！有四个钥匙孔，而金、银、铜、铁四把钥匙就挂在上面？这下面

还有字。"

监狱的大门上写着：

用金、银、铜、铁四把钥匙，分别插入下面写着1、2、3、4标号的四个钥匙孔，可打开监狱的大门。具体用法是：1号孔用银钥匙，2号孔用银或铁钥匙，3号孔用铜或铁钥匙，4号孔用金或铜或铁钥匙。不过这具体用法中没有一个是对的。用钥匙开门吧！

鬣狗看完以后，只觉得脑袋一阵眩晕："我的妈呀！我都晕了！说得这么热闹，结果一个都不对，让我怎样去开这个门呀？"

独眼豹子在监狱里看到了鬣狗，他急得直跳："鬣狗，好兄弟，快打开门让我出去！一会儿006来了我就跑不了啦！"

鬣狗着急地说："我也急得很，可是我不知道用哪把钥匙开几号孔哪！"

独眼豹子催促："时间不等人啦，你就瞎碰吧！"

鬣狗也就顾不了许多了，随便拿起一把钥匙就插进一个钥匙孔中。鬣狗只觉得脚下翻板一翻，"咕咚"掉进了陷阱里。

独眼豹子听见响声，还以为监狱打开了哪！他高兴地说："哈，门打开了！"

鬣狗在陷阱中高叫："不是监狱门打开了，是我脚下的陷阱开了，我掉下去喽！"

黄狗警官跑过来给鬣狗戴上手铐。

006说："我要打开监狱门，把你也送进去！"

鬣狗摇晃着脑袋说："我倒要看看，你是怎么用这四把钥匙开门的？"

"你还挺好学的，来，我来告诉你如何用这四把钥匙。"006说，"首先你要弄明白，这上面写的四种用法都是错误的。"

鬣狗生气地说："倒霉就倒在这儿啦！"

006分析："这上面写着'4号孔用金或铜或铁钥匙'显然不对，4号孔必然要用银钥匙来开。"

鬣狗点点头："看来应该先从4号孔来分析。"

006接着说："上面写的'3号孔用铜或铁钥匙'是不对的，而银钥匙4号孔已经用了，3号孔必然用金钥

匙。”

“我也会了！”鬣狗开始分析，“上面写的‘2号孔用银或铁钥匙’肯定不对，而金钥匙被3号孔用了，2号孔只能用铜钥匙。剩下的1号孔也只能用铁钥匙啦！”

006点点头说：“看来你鬣狗一点也不笨，就是不走正道。这样吧，你用这四把钥匙把监狱门打开吧！”

鬣狗高兴地拿过钥匙，1号孔插进铁钥匙，2号孔插进铜钥匙，3号孔插进金钥匙，4号孔插进银钥匙，四把钥匙插好以后，只听得“吱”的一声，监狱门打开了。

鬣狗非常兴奋：“哈，钥匙用对了，开门很容易嘛！”

在监狱里狐狸、大灰狼、独眼豹子排成一排，欢迎鬣狗。他们异口同声说：“欢迎鬣狗兄弟进监狱！”

鬣狗长叹了一声：“嗨！完了，哥们儿四个都进来了！”

监狱暴动

JIANYUBAODONG

在一间牢房里，狐狸、大灰狼、独眼豹子、秃狗头碰头聚在一起，小声商量着什么。黄狗警官屏着呼吸在窗外监听。

大灰狼说话嗓门挺大：“咱们哥们儿不能在这儿等死呀！应该想办法逃出去。”

“嘘——”狐狸压低了声音说，“小点声说话，墙外有耳！”

他们再商量就近乎耳语，黄狗警官听不清了。

“他们策划要逃出去，我要赶紧找 006 商量对策。”黄狗警官一溜烟跑了。

找到 006，黄狗警官着急地说：“006，狐狸他们在商量如何越狱哪！”

“是吗？”006 皱了一下眉头，“噢，我们必须知道他们的越狱计划。”

黄狗警官摇摇头：“他们十分警觉，说话声音非常小，我听不清他们是如何商量的。”

“不要紧，我看中了一个山洞，稍加改动就可以做一

个牢房。”006画了一个图(图23)。

006指着图说：“这个山洞是天然形成的椭圆形，椭圆有两个焦点F_1和F_2，从一个焦点F_1发出的光或声音，都集中反射到另一个焦点F_2上去。”

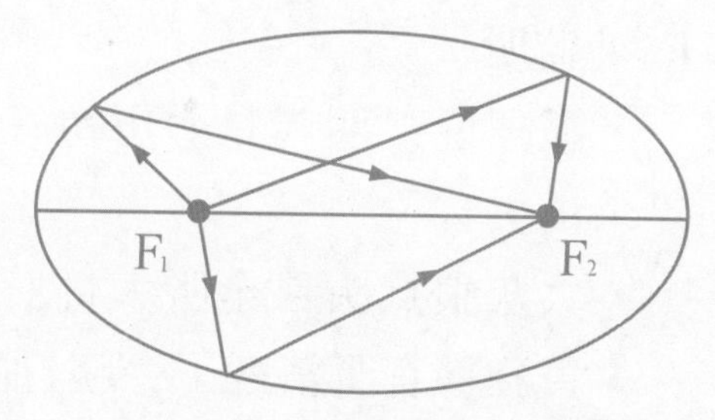

图23

黄狗警官不明白：“椭圆形的山洞，有什么用处？”

006解释：“在这个焦点F_1处安放石桌、石凳，给他们一个密谋的场所。我们在另一个焦点F_2处可以清楚地监听到他们的谈话(图24)。”

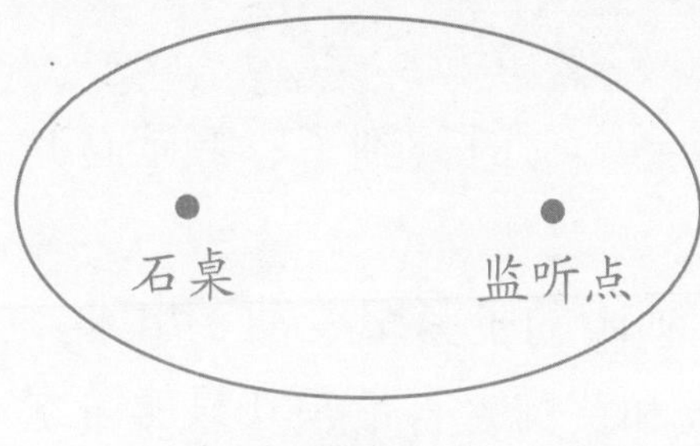

图24

“好主意！我立刻去安排。”黄狗警官一溜烟似的跑了。

黄狗警官按006所说，把山洞里的石桌、石凳安放妥当，然后来到牢房对狐狸、大灰狼、独眼豹子、鬣狗说：“你们这几天表现不错，给你们换一个好地方呆呆。”说完把他们4个押进了山洞。

走进山洞，独眼豹子环顾四周，点点头：“这山洞不错啊！冬暖夏凉。”

狐狸压低声音说：“这石桌、石凳太好了！咱们可以围坐石桌边，商量如何越狱。”

傍晚，狐狸、大灰狼、独眼豹子、鬣狗围坐在石桌旁秘密商量越狱的时间。006和黄狗警官在另一个焦点F_2处监听。

狐狸说：“明天是阴历初一，晚上没有月亮，咱们趁黑杀出去！”

大灰狼点头：“全听大哥安排！”

黄狗警官听清楚了：“噢，他们定在明天晚上越狱。”

第二天夜晚来临，山洞外一片漆黑，山洞里漆黑一片。黑暗中有8个亮点在闪动，那是这4个坏家伙的眼睛。

突然，大灰狼大喊了一声：“时候到了，弟兄们冲啊！”大灰狼带头往外冲。

“冲啊！”鬣狗、狐狸、独眼豹子紧跟着冲了出来。

他们冲出来一看，006和黄狗警官带领几只熊警察正在山洞口等着他们哪！

006笑着说：“哈哈，我们在这儿等候多时了！”

众熊警察平端着枪，大喊：“不许动！举起手来！”

4个罪犯看这个架势，乖乖举起双手。

狐狸不明白，问：“怪了！我们密谋的暴动时间，你数学猴006是怎么知道的？”

006解释说：“你们越狱失败，我也要让你们明白为什么失败。实际上是这个椭圆形的山洞帮了我们的忙。”

“山洞还能帮忙？”

006把椭圆形山洞的奥秘给他们讲了一遍，4个坏蛋恍然大悟，个个捶胸顿足，大骂椭圆坏了他们的事。

006命熊警察把他们带到审讯室，开始审讯4个罪犯。

006问：“你们4个最初是谁出主意要越狱的？”

鬣狗抢着说：“是大灰狼和狐狸中的一个出的主意。”

独眼豹子指着狐狸说：“就是狐狸出的主意。”

大灰狼把狼眼向上一翻：“反正我没出主意。”

狐狸面红耳赤：“我才没出这个主意哪！”

黄狗警官小声问006：“没人承认，怎么办？”

006一指大灰狼：“大灰狼！老实交代，你们4个人中有几个人说了实话？”

大灰狼不敢怠慢：“我向上帝保证，有3个人说了实话，只有一人说了谎话。”

006用手一指狐狸：“出主意的一定是你狐狸！”

狐狸一听出主意的是他，立刻又蹦又跳：“冤枉呀！我狐狸确实爱出个主意什么的，可也不能一出什么事就赖我呀！006，说话要有证据，你凭什么说是我出的主意？”

“我会让你心服口服的。”006说，

“假设独眼豹子说的是谎话，就是说你狐狸没有出主意。”

狐狸高兴地点点头：“唉，这就对了！”

006 向前跨了一步：“可是你们四人中只有一人说谎，那么鬣狗和大灰狼说的都是真话。鬣狗说是你和狐狸之中的一个出的主意，而大灰狼说他没出主意，把他们两个人的话综合在一起，就说明是你出的主意。这样一来，与你狐狸没有出主意矛盾。”

狐狸把双手一摊：“这矛盾又能说明什么呢？”

“说明我们假设独眼豹子说谎是错的，独眼豹子说的是真话。”006 又往前跨了一步，“狐狸，我问你，独眼豹子是怎么说的？”

狐狸摸了一下脑袋：“独眼豹子说主意是我出的。啊，是独眼豹子把我出卖了，我和你拼了！”

黄狗警官眼明手快，一把揪住了狐狸，飞快地给他戴上了手铐：“狐狸，老实点！你是策划越狱的主谋，你

是罪魁祸首！”

“哇！完了！”狐狸身子一软，瘫倒在地上。

不久，法院召开宣判大会。大法官进行宣判：“我宣判：判处狐狸死刑，立即执行。大灰狼和独眼豹子均判无期徒刑，判处鬣狗 10 年有期徒刑。现把狐狸押赴刑场，执行枪决！”

两名熊警察架起狐狸就往外走。

狐狸长叹了一声：“咳！我斗不过数学猴 006！”

追捕机器人

莫比和乌斯

MOBIHEWUSI

A国的台劳教授是位在国际上很有名气的人工智能专家。他使用第8代电脑，制造出两个最新型号的机器人，一个叫莫比，一个叫乌斯，以纪念19世纪最早发现单侧面——“莫比乌斯圈”的数学家莫比乌斯。机器人莫比和乌斯有记忆功能，会联想，能够推理，有近似人的思维能力。

B国情报机关得知这个消息，急于要把莫比和乌斯弄到手，便指派两名老牌间谍去A国执行偷盗机器人的任务。并嘱咐他俩如果偷不回来，就把机器人毁掉。这两个间谍一个外号叫“胖子”，另一个外号叫“瘦子”。他俩二话没说，扭头就去执行任务了。

天快黑了，在台劳教授的实验室里，教授又对莫比和乌斯做了一些改进，然后对他俩说：“莫比、

乌斯，我要下班了。你俩乖乖地躺下，我把电源暂时切断，让你俩睡上一觉。”

“好的。台劳教授，明天见！”两个机器人各自躺在床上。

深夜，万籁俱寂。两条黑影出现在台劳教授实验室的窗外，一束手电光从窗户射进屋里，照在躺在床上的莫比和乌斯的身上。

胖子小声说：“瞧，莫比和乌斯都在那儿！”

瘦子把手枪一挥：“进去，赶紧动手！”

对于这两个老牌间谍来说，打开门上的锁是费不了

多大工夫的。两人一前一后鬼影似的溜进了实验室。他俩动手抬莫比,没想到莫比还很重。

瘦子吃力地抬着莫比的双腿,对胖子说:“你用力抬呀!”胖子头上的汗都流下来了:“我把吃奶的劲都用上了,怎么还是搬不动!”

瘦子用手拍了一下后脑勺,说:“我把电源接通,让他俩乖乖地跟咱俩走!”

胖子竖起大拇指说:“好主意!”

会变色的眼睛

HUIBIANSEDEYANJING

瘦子接通了机器人的电源，莫比和乌斯立刻坐了起来。乌斯问："你们是什么人？为什么天不亮就把我们叫醒？"

"嗯，嗯。"瘦子眨了眨眼睛说，"我们是台劳教授的朋友。台劳教授找你们有急事，叫你们马上跟我们走！"

"台劳教授的朋友？让我来识别一下。"莫比命令两个间谍，"你们看着我的眼睛，回答我的问题。"莫比的眼睛刹那间发出两道强光，照得两个间谍直捂眼睛。突然，莫比眼睛发出来的光开始变颜色。

胖子问："莫比的眼睛为什么有时发红光，有时发黄光？"

瘦子答："这可能是一种密码信号！我把它记录下来。"说完拿出笔记本认真地记录莫比眼睛发光的规律。

"这就是密码。"瘦子把笔记本递给胖子看。胖子见笔记本上写着：

红黄、红黄红、黄；红黄、红黄红、黄……

"这是什么意思呢？"胖子看不懂。

瘦子说："机器人使用的是二进制数。我用二进制数把它破译出来。"很快他就翻译出来了：红光代表 1，黄光代表 0。这样，红黄表示 10；红黄红表示 101；黄表示 0。

胖子摇摇头，还是不懂。

瘦子画了一张十进制数和二进制数的对照表：

十进制数	0	1	2	3	4	5	6	7	8	9
二进制数	0	1	10	11	100	101	110	111	1000	1001

看了这个表，胖子明白了。他说："按照这个表把二进制数 10、101、0 变成十进制数就是 2、5、0 三个数，连在一起是 250。莫比问咱俩是不是二百五？"

瘦子两手一摊说:“咱俩是老牌间谍,怎么会是二百五呢?”

乌斯一指两个人喊道:“不会回答密码,你俩是假朋友!”

瘦子一拉胖子说:“咱俩被识破了,快跑!”说完两人撒腿就跑。

三岔路口

SANCHALUKOU

瘦子的阴谋被识破，他拉起胖子逃出了实验室。“两个坏蛋往哪里逃？追！”机器人莫比和乌斯紧跟着追了出来。

台劳教授被一阵电话铃声惊醒。他抓起听筒一听，是台劳实验室值班警卫的声音。

警卫焦急地报告：“不好啦！教授，莫比和乌斯跟在两个陌生人的后面跑啦！”

事态严重，台劳教授驾车直奔警察局，向局长汇报。

警察局长问：“你这两个机器人，不是有很高的智商吗？怎么会跟两个陌生人跑了呢？”

台劳教授一跺脚说：“唉，机器人的智商高低是相对而言的，他们比过去的机器人是聪明多了，可是毕竟只具有小学四五年级学生的智力，我怕他们上当！”

警察局长立即作出决定，成立以台劳教授为首的追捕间谍小组，成员有电脑专家图灵博士和亨利探长。局长命令他们立即行动。

再说瘦子和胖子两名间谍，被机器人莫比和乌斯追得走投无路。

胖子气喘吁吁地问："怎么办？咱俩如果让机器人追上，他们非把咱俩劈成两半不可！"

瘦子向周围看了看，说："这里是三岔路口，我给他们留下三句话，迷惑他们一下。"说完拿出笔和纸迅速写好，放在路中间。

莫比和乌斯飞快地追了上来。莫比发现了纸条，捡起来一看，只见上面写着："我们走中间的路；我们不走东边的路；我们不走中间的路。这三句话中只有一句是真话，机器人笨蛋，你们猜吧！"

莫比问："怎么知道两名间谍沿哪条路跑了？"

乌斯说："用推理来判断。"

机器人中计

JIQIRENZHONGJI

莫比用逻辑推理来判断间谍走的是哪条路。

莫比说:“第一句话‘走中间的路’和第三句话‘不走中间的路’,这两句话中必定有一句是真话。”乌斯眨了眨眼睛说:“有道理!这两句话不可能同时是真话,也不可能同时是假话,必然是一真一假。”

莫比又说:“由于这三句话中只有一句是真话,所以第二句话一定是假话。”乌斯点点头,说:“假话是‘不走东边的路’,真话应该是‘走东边的路’。走,往东边追!”两个机器人快步向东边追去。

突然,莫比对乌斯说:“我感觉到一种信号,好像是台劳教授追上来了。”

两名间谍在前面跑得满头大汗。胖子大口喘着粗气,问:“怎么办?机器人又

追上来了！”

瘦子跑上一个山坡，找到一块大石头。他高兴地说：“咱俩把这块石头顺坡推下去，砸他们！”两个间谍使足了力气把大石头推了下去。大石头越滚越快，直奔莫比和乌斯砸去。

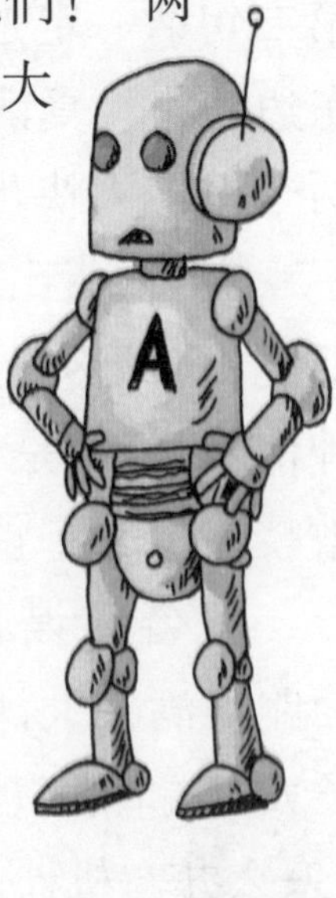

“来得好！”莫比先用双手把大石头接住，然后把它举过头顶，朝两个间谍猛力掷去：“原物奉还！”大石头“呼”的一声朝两个间谍飞去。两个间谍吓得抱头鼠窜，嘴里大叫：“我的妈呀！”大石头在距他俩不远的地方落地了，溅起的泥土碎石弄了他俩一身。

瘦子说：“咱俩不能只是一个劲儿

跑呀！机器人是金属的，咱们给他俩铺上高压电网，他俩只要踩上，一定会被电倒！"

"快点铺吧！"胖子和瘦子熟练地在地上铺好高压电网。

莫比和乌斯只顾一个劲儿地追间谍，没注意脚下的电网，两个机器人先后触电倒地。

改变程序

GAIBIANCHENGXU

瘦子见两个机器人触电倒地，高兴地叫道："哈哈，成功啦！"

这时，台劳教授、图灵博士和亨利探长坐着警车尾随莫比和乌斯追了上来。图灵博士头上戴着信号接收器，随时收听莫比和乌斯发出的信号。突然，图灵博士叫道："怎么回事？莫比和乌斯发出的信号忽然中断了！"

台劳教授一拍座椅，说："莫比和乌斯一定出事啦！"

亨利探长下令："全速前进！"警车飞也似的向前开去。

瘦子对胖子说："我把机器人的电脑程序改变一下，叫他俩听咱俩的话，乖乖地跟咱俩回去！"

"绝好的主意！"胖子称赞道。

瘦子先把莫比的脑盖打开，发现里面还有一个盖子，可是里面这个盖子说什么也打不开。胖子看到盖子上有一个图，由4个大小不同的正方形构成(图1)，每个正方形都是由一段一段的小铁棍组成，里面有个"-"号，外面有个"+"号。

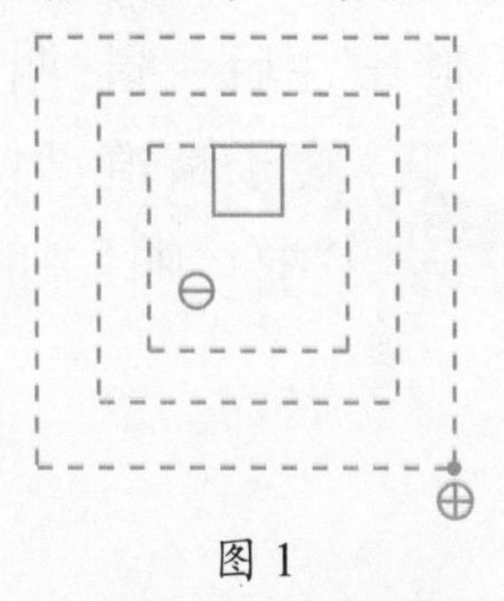

图1

胖子伸手动了一根铁棍，突然大叫："妈呀！这铁棍带电！"

瘦子认真看了一下图，说："这是一个特殊的电路开关。只有想办法把有关的铁棍接上，使电路的正负极接通，盖子才可以打开。"

胖子摸着脑袋说："怎么接呢？"

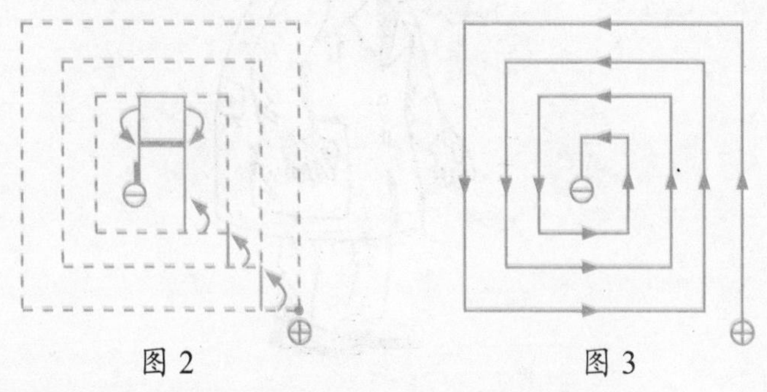

图2　　图3

"看我的！"瘦子拨动了5根铁棍(图2)，电路被

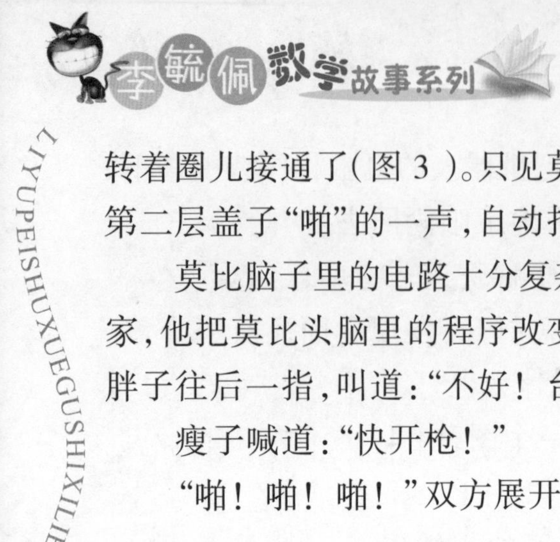

转着圈儿接通了(图 3)。只见莫比的眼睛一亮,头上的第二层盖子“啪”的一声,自动打开了。

莫比脑子里的电路十分复杂,但是瘦子是个电脑专家,他把莫比头脑里的程序改变了。瘦子刚想喘口气,胖子往后一指,叫道:“不好!台劳教授追上来了!”

瘦子喊道:“快开枪!”

“啪!啪!啪!”双方展开了激烈的枪战。

莫比叛变

MOBIPANBIAN

两个间谍和台劳教授的追捕小组展开了枪战。打了一阵子，瘦子说：“他们人多，咱们赶紧撤吧！”说完拉起莫比，“快跟我跑！”

说也奇怪，被改变了电脑程序的莫比答应一声：“是！”乖乖地跟着瘦子跑了。

特务带着莫比跑了，台劳教授赶紧修理乌斯。乌斯睁开眼睛一看，发现莫比跟着间谍跑了，着急地大声呼叫：“莫比，快回来！你怎么跟坏人跑啦？”

听到乌斯的呼叫，正在奔跑的莫比回过头来说：“不，我是跟好人跑的！”

“啊！好坏不分啦！”乌斯气坏了，他握紧双拳朝莫比奔去，“我要打死你这个叛徒！”

莫比停住脚步，把胸脯一挺：“我决不怕你！”

“莫比，你糊涂啦？你和我都是台劳教授制作的呀！”

“乌斯你胡说！台劳教授是我的敌人，我要把他撕成碎片！”

“打死你这个叛徒！”乌斯冲上去揪住莫比就打。

乌斯刚打两拳,莫比大喊一声,双手抓住乌斯把他高高举过头顶,原地转了两圈,一撒手就把乌斯扔了出去。乌斯在被扔出去的一刹那,双眼一瞪,两束红光直向莫比射去。

台劳教授大喊一声:“快趴下,这是激光枪!”

“啊!”莫比被乌斯的激光枪击中,倒在地上,滚了两下就不动了。

胖子在一旁说:“莫比被打死了,咱俩快逃吧!”

瘦子把眼睛一瞪,说:“不能把莫比扔下!不然的话,咱俩回去无法向头儿交代!”

胖子问:“那怎么办?”

瘦子一挥手,说:“咱俩先躲起来,看看再说。”两人躲在了一块大石头的后面。

抢救莫比
QIANGJIUMOBI

打跑了间谍，台劳教授和图灵博士赶快跑到了莫比的身边。图灵博士对莫比进行了全面的检查，回头对台劳教授说：“是太阳能电池被激光枪打坏了一部分。”

台劳教授摸着下巴想了想，说：“如果烧焦的部分不超过全部面积的二分之一，使用备用的电池还可以使莫比重新站起来。”

亨利探长看了一眼被烧坏了的太阳能电池，说：“我看烧焦的部分肯定超过二分之一，莫比看来是活不成了！”

图灵博士摇摇头说：“用眼睛看是不准确的，必须要计算一下。”

亨利探长弯下腰，仔细地看了看：“这太阳能电池由 25 个小正方形组成。有的烧焦的部分占了大半个小正方形，有的只占了小半个小正方形（图 4），这可怎样算呀？”

图 4

“你可以按这样的规律去数。”台劳教授说，“凡是一个小正方形的左下角的顶点，落到烧焦的部分内，就算这个小正方形全部被烧焦。其他的小正方形就算没烧焦。”

“能这样数？”亨利探长半信半疑地数了起来。过了一会儿，亨利探长说：“我数完了，左下角的顶点落在烧焦部分内的小正方形一共有 11 个。”

台劳教授说：“总共有 25 个小正方形，烧焦了 11 个，不到一半。马上启用备用电池！”

图灵博士接通备用电池，莫比慢慢地坐了起来。

这一切被躲在大石头后面的瘦子看见了，他对胖子说：“不好，莫比恢复了活动能力。下一步台劳教授肯定要把他的电脑程序再改变回去！”

胖子问：“那怎么办？”

瘦子命令说：“快开枪！把台劳教授从莫比身边引开！”

“啪！啪！”两个间谍一齐朝台劳教授开枪。

追踪信号

ZHUIZONGXINHAO

两名间谍一齐向台劳教授开枪，企图阻止台劳教授接近莫比。但是，台劳教授心里明白，不赶快把莫比头脑里的电脑程序改过来，莫比还会跟着间谍走。

台劳教授冒着生命危险爬到了莫比的身边，他刚想打开莫比的脑盖，莫比厉声问道："你这个老头想干什么？"

台劳教授说："莫比，我是台劳，难道你连我都不认识了吗？"

"什么台劳不台劳的？我不认识你？去你的吧！"莫比抬起脚把台劳教授踢翻在地，转身朝两个间谍的方向跑去，很快就没了踪影。

台劳教授爬起来，问乌斯："你能不能收到莫比的信号？"

乌斯转了一下脑袋说："能，我收到了他的信号。"

台劳教授又问："他在什么位置？"

乌斯说："位置大致在东北方向，距我们有 3000 米。"

亨利探长跳上警车说:“向东北方向行驶,乌斯注意监听莫比的信号!”警车急速行驶,行至3000米处停住。

台劳教授问乌斯:“现在莫比在哪儿?”

“莫比还在刚才的位置。我听到有人从他所在位置上发报,位置大致在我们现在位置的西北方向,距我们120米。”

亨利探长说:“这是两名间谍在向他们总部发电报。”

台劳教授说:“我们可以画图找出间谍的位置,假设我们刚才所在的位置为A点,距A点3000米远的点都在以A为圆心,3000米为半径的圆周上。由于方向在东北,所以只要画出四分之一圆周就可以了。”说完就画

了一个四分之一的大圆弧。台劳教授又说:“我们向东北方向跑了 3000 米,到了现在的位置 **B** 点。而间谍和莫比的位置没有改变,必然在以 **B** 为圆心,120 米为半径的四分之一圆周上。”他又画了一个四分之一的小圆弧。台劳教授指着大、小圆弧的交点 **C**(图 5)说:“间谍就在 **C** 点!”

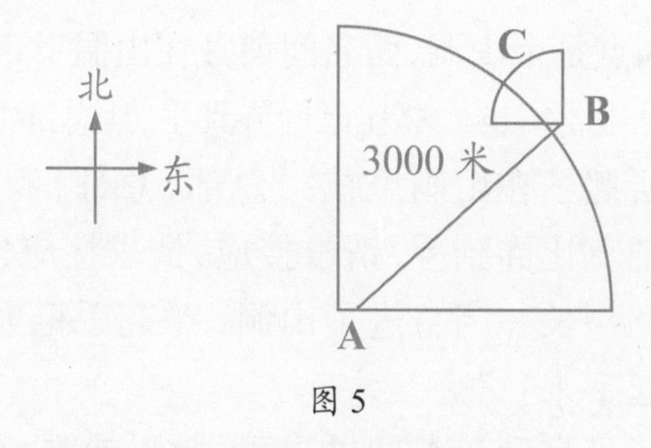

图 5

“向 **C** 点进发!”亨利探长发出命令。

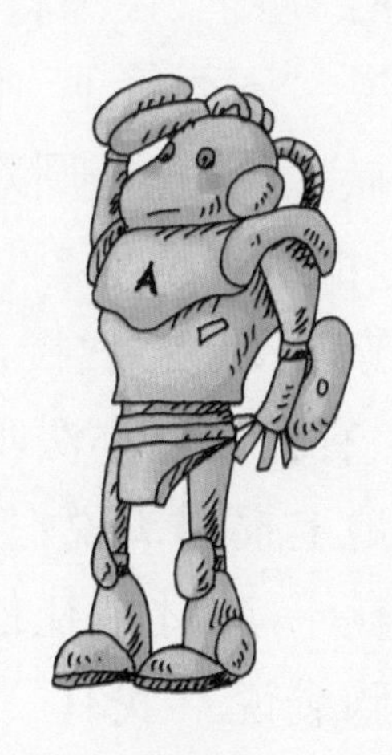

斗牛中心 DOUNIUZHONGXIN

C点是个山洞，两名间谍藏在山洞里正在发电报，报告机器人莫比已经弄到手，让总部派人来接应。

只听胖子在山洞里喊："总部，总部，我是水牛，我们已经把莫比弄到手，请求接应，请求接应！"

亨利探长一闪身进了山洞，举起手枪大喊："不许动！举起手来！"

胖子见亨利探长闯进来了，撒腿就跑。亨利探长抬手一枪，正打中胖子的右腿，胖子"咕咚"一声栽倒在地上，他捂着伤口大呼："瘦子，快来救救我！"

瘦子指挥莫比说："不要管他，咱俩快走！"

"我掩护，你先撤！"莫比瞪圆双眼，激光枪发出几条光束，亨利探长赶忙趴在地上。

亨利探长对台劳教授说："教授，莫比的激光枪太厉害，我无法靠近。您有什么好办法吗？"

台劳教授趴在地上摇摇头说："没有好办法！只有把他的能量全部消耗干净，才能让他停止射击。"

图灵博士一拍脑袋说："我有一个主意。这儿附近

有个著名的斗牛训练中心，我去借100头牛来。”说完爬起来就跑。跑出山洞没多远，就看见一个由铁栅栏围成的大空场。在一扇大铁门旁挂着一个大牌子，上面写着“西班牙斗牛训练中心”。

图灵博士推门跑了进去，一位身穿西班牙斗牛士服装的中年人，满面笑容地迎过来说：“欢迎你到斗牛训练中心来！我们这儿专门训练体壮、个大、凶狠的斗牛，每年大量出口到世界各地。我保证每一头牛都十分厉害。”

图灵博士问：“你训练好的斗牛有多少头？”

“不多不少，正好有100头！”

图灵博士一拍中年人的肩膀说：“这100头牛，我全要啦！”

机器人斗牛

JIQIRENDOUNIU

图灵博士赶着100头牛返了回来，见亨利探长正在审问胖子。

亨利探长问："你的同伙带着莫比往哪儿跑了？"

"哎哟，哎哟。"胖子抱着受伤的右腿叫了几声，说，"他们只有一条路可走，就是玫瑰峡谷。"

亨利探长把手一挥，说："去玫瑰峡谷！"三个人坐上汽车，乌斯赶着100头牛，直奔玫瑰峡谷追去。

玫瑰峡谷很窄，路不好走。没追出多远，就看见了瘦子和莫比。图灵博士照着一头壮牛的屁股用力拍了一下，喊道："上！"这头牛"哞"的一声，低着头直奔瘦子冲去。

瘦子见一头牛向他冲来，魂儿都吓飞了，他赶紧躲到莫比的身后，高喊："莫比救命！"

莫比一点也不害怕，他照着冲过来的牛猛击一掌，只听"咚"的一声，这头牛便被打翻在地。第二头牛又冲了过来，莫比打出第二掌，"咚"的一声，第二头牛也被打翻在地。接着就听到"咚、咚、咚……"响声不断，牛一

头接一头地倒下……

台劳教授问:“莫比打倒了多少头牛？”

图灵博士数了一下,说:“还剩下15头牛,莫比打倒了85头牛。”

台劳教授点点头说:“嗯,莫比的能量消耗得差不多了。”

亨利探长笑着说:“真不愧是博士！让机器人斗牛来消耗他的能量,这主意真妙！”

瘦子也看出了对方让莫比斗牛的真实用意,他拉了一下莫比说:“天不早了,咱们快走吧！”

莫比先是摇晃了一阵儿，然后“扑通”一声坐到了地上，他断断续续地说：“我……已经……没有……能量……了。”说完就躺倒不动了。

剩下的牛见莫比倒下了，就朝瘦子冲去。瘦子连连开枪，可是不管用。他只好高举双手说：“我投降！我投降！”

大家把莫比抬上警车，乌斯押着两名间谍，胜利而归。

李毓佩数学故事系列

智斗鬼子兵

LI YU PEI SHU XUE GU SHI XI LIE

鬼子进村

GUIZIJINCUN

故事发生在抗日战争时期河北省一个叫马家村的地方。那一年,马克11岁,是马家村小学四年级的学生。马克学习努力,成绩总列全班第一。

听大人们说,日本鬼子就要打到马家村了。村里各家各户都在收拾东西,准备逃命。马克的书也念不成

了，妈妈让他背上一小袋粮食，提上一包衣服，准备往山里撤。

马克来到村头，见于爷爷一个人坐在家门口，于是着急地说："于爷爷，日本鬼子快进村了，您还不走？"

"走？"爷爷摇摇头说，"我今年84岁了，已经有3个孙子、孙女了，我不怕死！我要拿老命跟鬼子们拼一拼！"

马克又问："您的孙子和孙女呢？"

于爷爷说："他们都小，我让他们跟父母走啦！"

马克问："他们都多大了？"

于爷爷摇摇头说："你真爱刨根问底！说来也巧，他们3个人岁数的乘积恰好等于我的岁数。而且两个小孙女岁数之和正好等于大孙子的岁数。你自己算一算我的孙子、孙女各多少岁。"

马克可不怕做数学题，他蹲在地上写了一道算式：

$$
\begin{aligned}
84 &= 3 \times 4 \times 7 \\
&= 2 \times 6 \times 7 \\
&= 2 \times 3 \times 14
\end{aligned}
$$

马克说："乘积是84的三个数中只有$3+4=7$。所以，可以肯定，您的孙子7岁，两个孙女，一个4岁，一个3岁。"

这时，村外响起枪声，有人高喊："快跑呀！鬼子进村啦！"只见马家村的村民拉着牛，赶着猪，纷纷向山里逃去……

马克放下粮袋，着急地对于爷爷说：“于爷爷，我背您走！”

于爷爷用力推了一把马克，说：“孩子，你快逃命去吧！”

杀人魔王
SHARENMOWANG

马克要背于爷爷走，于爷爷说什么也不走。这时，鬼子的骑兵已经把马家村团团围住，一些跑得慢的村民被围在里面。

一个骑着枣红马、鼻子底下留着一撮小胡子的日本军官，指挥日本士兵，把被围的村民都轰到打麦场，马克扶着于爷爷也站在人群当中。

日本军官皮笑肉不笑地说："大家不要害怕，日本皇军是来开发大家智力的。"说着命令士兵拿来 8 个盘子摆在桌子上，又拿来 28 个苹果放到一边。

小胡子说："我要考考你们，看谁能把这 28 个苹果放到 8 个盘子里，不仅每个盘子里都要有苹果,而且每个盘子里的苹果数目都不同。谁能办到,我就把这 28 个苹果送给他。”

“如果你们都做不到,”小胡子把腰间的指挥刀“刷”的一声抽了出来,瞪圆双眼吼道,“就请你们把脑袋统统地送给我!你们大概还不知道,我的外号叫‘杀人魔王’!”说完只听“喀嚓”一声,小胡子抡刀把一棵小树拦腰劈断。

小胡子用刀一指人群中的王大伯,说:“老头儿,你来放苹果!”王大伯走到桌前,拿起苹果往盘子里放。左放一次,不成;右放一次,还不成!

小胡子下了马,围着王大伯转了一圈儿,恶狠狠地说:“看来你的智力十分低下,留着你有什么用?你把脑袋送给我吧!”说着举起指挥刀就要往下砍。

“慢!”马克一个箭步跳到小胡子面前,说,“你出了一个十分愚蠢的题!你提的要求根本做不到!”

“你胡说!”小胡子举着刀奔向马克。

“我没有胡说。”马克从容不迫地说,“按 8 个盘子装的最少苹果数来算,应该分别是 1,2,3…8 个,而 $1+2+3+\cdots+8=36$(个)。也就是说,最少要有 36 个苹果才能达到你的要求,而这里只有 28 个,谁也做不到!”

“啊!”小胡子举刀猛力劈下去……

临危不惧

LINWEIBUJU

小胡子这一刀，把放苹果的桌子劈成两半，苹果和盘子满地乱滚。

小胡子见马克一点儿也不害怕，心中暗暗称奇。他用力拍了拍马克的肩头，说："你的顶好！不过你要回答我两个问题，如果答不上来，死啦死啦的！"

"你说吧！"马克临危不惧，信心十足。

“我的儿子在日本上小学六年级。”小胡子开始出题，“他们班的学生，有$\frac{1}{3}$小于12岁，有$\frac{1}{2}$小于13岁，有6名学生小于11岁。11岁到12岁之间的学生数与12岁到13岁之间的学生数相等。我问你，这个班有多少学生？”

乡亲们听到题目这么复杂，都替马克捏把汗！

马克却不着急，他分析说：“由于有$\frac{1}{2}$的学生小于13岁，$\frac{1}{3}$的学生小于12岁，因此12岁到13岁之间的学生占学生总数的$\frac{1}{2}-\frac{1}{3}=\frac{1}{6}$。”小胡子点点头。

马克又说：“由于11岁到12岁之间的学生数与12岁到13岁之间的学生数相等，所以11岁到12岁之间的学生数也占$\frac{1}{6}$。这样，11岁以下的6名学生占全班人数的$\frac{1}{2}-\frac{1}{6}-\frac{1}{6}=\frac{1}{6}$，所以全班有$6\div\frac{1}{6}=36$（人）。”马克一口气算出答案。

“好！”乡亲们齐声叫好。

小胡子走近一步，问：“我在日本有一辆汽车，车牌号是一个五位数。有一次我把车牌装倒了，车牌号成了另外一个五位数，比原来的数大了78633。你告诉我，我的车牌号是多少？”

“这也难不倒我！”马克说，“阿拉伯数字中，倒着看也是数的只有0，1，6，8，9。设车牌号为**ABCDE**，

车牌倒着看为**PQRST**。”马克列出一个算式：

$$\begin{array}{r} A\ \ B\ \ C\ \ D\ \ E \\ +\ 7\ \ 8\ \ 6\ \ 3\ \ 3 \\ \hline P\ \ Q\ \ R\ \ S\ \ T \end{array}$$

马克说：“根据***P***和***E***、***Q***和***D***、***R***和***C***、***S***和***B***、***T***和***A***是一正一倒的关系，可以推出***ABCDE***为10968，对不对？”

小胡子点点头说：“对，对，你的大大的聪明！留下来给我当勤务兵。”

“让我当鬼子兵？”马克一愣。

房顶站岗

FANGDINGZHANGANG

马克听小胡子说，要他当勤务兵，立刻就急了。他对小胡子喊道："让我当鬼子兵？没门儿！"

小胡子气得脸发青，"刷"的一声抽出了战刀，他把刀架在了于爷爷的脖子上，恶狠狠地说："你如果不答应，这个老头就死啦死啦的！"

"你……"马克愣住了。

于爷爷把脖子一挺，大声说："誓死不当亡国奴！孩子，爷爷死了不要紧，你可不能答应啊！"

这时，从日本鬼子的队伍中，跑出一个系着围裙的老头。老头拉着马克小声说："我也是中国人，是被日本人拉来当伙夫的。为了救这位爷爷的命，你先答应下来再说。"

马克想了想，说："我不穿你们的鬼子服！"

“可以。”小胡子往前一指说，“你的第一个任务是站岗放哨。那里已经有3名士兵，他们站成了等边三角形，你要找一个适当的位置站岗，当你选定位置后，你们4个人无论从哪一个人那里看，同其他3人的距离都相等。”

“我该站在哪儿呢？”马克思索起来。

老伙夫手里拿着一个馒头跑来了，他说：“小家伙，你先吃个馒头，站一班岗要4个小时哪！”说完指了指馒头。

马克对小胡子说：“我先去趟厕所，回来就上岗。”他跑到一个僻静处，掰开馒头，发现里面有张纸条，上面写着：

你要想办法站到高处，朝正东方向用右臂划3个圈儿。八路军就埋伏在东边。

马克一边吃着馒头，一边往房上爬。

小胡子问：“你上房干什么？”

马克说：“我和那3个鬼子兵必须都站在正四面体的4个顶点上(如图1，**A**、**B**、**C**、**D**为正四面体的4个顶点)，现在他们把地面上的3个顶点占上了，我只好爬高了！”

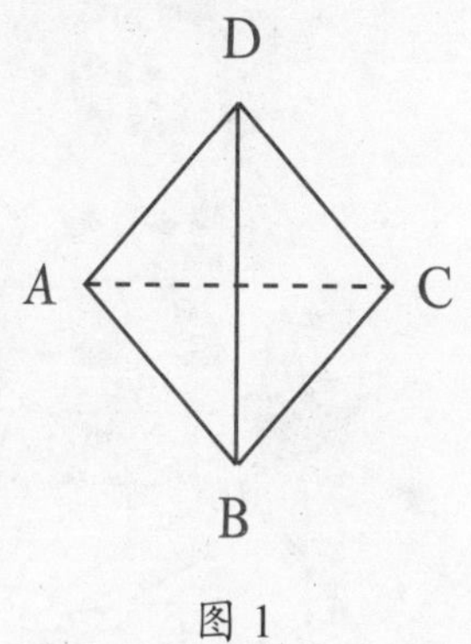

图1

马克上了房顶，面向东方用右臂划了3个圈儿。

和尚献花

HESHANGXIANHUA

马克在房上站岗，看见一个和尚手拿一束莲花走了过来。

一个鬼子兵端枪迎了上去，用刺刀对着和尚的前胸，大声问道："什么的干活？是不是八路军？"

和尚举起手中的莲花说："我是给女神献花的。"

小胡子走了过来，上下打量了一下和尚，问："这个地方又没有庙，你到这儿找什么女神？"

和尚双手合十："阿弥陀佛。施主有所不知，我不知道应该准备多少枝莲花献给 5 位女神。我昨夜做

了一个梦，说答案就在此村。”

“有这种事？”小胡子两只眼珠滴溜乱转，“好，我‘陪’你去找答案。如果找不到，再和你算账！”

和尚、小胡子和两个日本兵在村子里转开了，整整转了一大圈儿，最后转到一棵大柳树前，发现大柳树的一块树皮被剥去，树干上写着一行字：

你要准备好一束莲花，把这束莲花的$\frac{1}{3}$、$\frac{1}{5}$、$\frac{1}{6}$分别献给3位女神，还有$\frac{1}{4}$奉献给第四位女神，剩下的6枝献给声望最高的第五位女神。

和尚看罢，冲大柳树拜了一拜说：“弟子记住了，阿弥陀佛。”说完大步向正东方向走去。

小胡子冲着树上的字直发愣。突然，他对一个日本兵说：“去把马克找来！”

马克来了，小胡子叫他把树上的题算出来。

马克说：“设莲花的总数为1，则$1-\frac{1}{3}-\frac{1}{5}-\frac{1}{6}-\frac{1}{4}=\frac{1}{20}$，这$\frac{1}{20}$是6枝花，那么，莲花总数为$6\div\frac{1}{20}=120$（枝）。献给前4位女神的莲花分别是40枝、24枝、20枝、30枝。”

“120？”小胡子拍着自己的脑袋说，“这和我们连的人数一样，其中40名骑兵，24名炮兵，20名机枪手，30名步兵，还有6名是连队军官和炊事兵。不对，和尚是八路军的探子，快去抓！”

几个日本兵急忙朝和尚走的方向追去……

鬼子被围

GUIZIBEIWEI

几个日本鬼子去追献花的和尚，追了好一段路，连和尚的影子也没见到。

突然，村东“叭、叭、叭”升起3颗信号弹，刹那间，马家村的四周响起一片喊杀声，八路军把村子包围了。

小胡子着急了，他立即召集士兵说：“我们被八路军包围了，想活命就要突围出去！现在组成一支42人的突围敢死队。”

小胡子用眼睛扫了一下面前的日本兵，说：“这42人当中要有射击5发5中的一级射手16人，其余的是5发4中的二级射手和5发3中的三级射手。我要把敢死队分成7支小分队，每支小分队有6名士兵，而且每支小分队的士兵射中靶子的总次数各不相同，但是三种级别的射手至少各有1名。”

说到这儿，鬼子军官小胡子突然停住了。他原地转了一个圈儿，又敲了敲自己的脑袋说：“可是……这样一来，在敢死队中二级射手和三级射手应该各有多少人呢？我把自己都搞晕了。”他回头看见马克，对马克说：

"还是你来算吧！"

"死到临头还找我！"马克白了小胡子一眼说，"由于每支小分队中每个级别射手至少有1名，我们先来计算1支小分队最多射中靶子数。要想射中的靶子数最多，小分队中一级射手的人数要尽量多，但是小分队中三种级别的射手至少各有1名，所以1支小分队中一级射手的人数最多是$6-2=4$名，因此每支小分队射中靶子的总数不超过$3+4+5\times(6-2)=27$，也不能少于$5+4+3\times(6-2)=21$。从21到27正好是7个数，由于7支小分队射中靶子的总数都不一样，因此，只可能是21，22，23，24，25，26，27次。"

"分析得很好！"小胡子一个劲点头。

马克又说："你的敢死队射中靶子的总次数应该

是21 + 22 + 23 + 24 + 25 + 26 + 27 = 168(次)，其中二级射手和三级射手共射中168 - 5 × 16 = 88(次)，而他们的人数是42 - 16 = 26(人)。如果把这26人都看成是三级射手，他们共射中靶子3 × 26 = 78(次)，而实际射中88次，多出10次，10 ÷(4 - 3)= 10，说明有10名二级射手。”

“我明白了。三级射手有16名。”小胡子抽出战刀命令，“敢死队集合！向正东方向突围！”

撞上和尚
ZHUANGSHANGHESHANG

日本军官小胡子让敢死队往东突围，他却带着其余的人马往西跑。他还特别叮嘱马克不要掉队，实际上他是怕马克跑了。

老伙夫从后面赶了上来，他对马克说："孩子，打起仗来吃饭就没准时候，你拿着这个馒头，饿了就啃几口。"说完指了指馒头。

马克趁别人不注意把馒头掰开，从里面拿出一张小纸条，上面写着：

下面一行数是有规律的，其中？代表联系密码。

4，16，36，64，？，144，196。

马克边走边琢磨：这个"？"应该是几？突然，前面响起了机关枪的声音，走在前面的几个鬼子兵中弹倒地。小胡子命令部队向外突击，日本鬼子端起上了刺刀的步枪向前冲去。

八路军从高粱地里冲了出来，敌我双方展开了白刃战。马克一看时机已到，一弯腰就向高粱地里钻去，没跑多远，"咚"的一声和一个人撞了个满怀。马克定睛一

看，认识，是那个给女神献花的和尚！此时和尚已经脱去了袈裟，手中握着一把大号手枪。

和尚用手枪顶住马克问：“刚才我进村时，见你和鬼子军官在一起，你是个小汉奸！”

“谁是小汉奸？我是为了救于爷爷才那样做的。”马克十分委屈。

和尚说：“我不管你是救于爷爷，还是救杨爷爷，给日本鬼子干活儿就是汉奸！”

“是炊事员爷爷叫我这样做的！”马克这句话起了作用。

和尚问：“密码？”马克答：“100！”和尚一伸手，说：“纸条！”马克把馒头里的纸条递给了和尚。和尚看

了看纸条，问："为什么是100？"

马克解释说："这一行数是有规律的。我找到了其中的规律是：$4 = 4 \times 1 \times 1$，$16 = 4 \times 2 \times 2$，$36 = 4 \times 3 \times 3$，$64 = 4 \times 4 \times 4$，$144 = 4 \times 6 \times 6$，$196 = 4 \times 7 \times 7$。所以，问号代表的数应该是$4 \times 5 \times 5 = 100$。"

和尚一摆手说："密码对了，跟我走！"

秘密部队

MIMIBUDUI

和尚带着马克爬上一个小山岗，见到八路军的王司令员。王司令员见到马克很热情，紧握他的双手说："你站在房子上给我们发信号，谢谢你啦！"

马克有点不好意思，他向王司令员行了个军礼，说："我要参加八路军！"

"欢迎，欢迎，他准能成为一个好兵！"那个给鬼子做饭的老伙夫，穿着一身八路军军服，从后面跑了上来。

老伙夫说："王司令员，这个小马克数学特别好，留下他会很有用的！"

王司令员笑着说："凡是愿意抗日的，我们都要。"

马克拉住老伙夫高兴地说："爷爷，您原来是八路军！"老伙夫笑着点点头。

一个八路军战士跑了过来，向王司令员敬了个礼："报告司令员，我们消灭日军 42 人，俘虏 11 人，其余日军在小胡子带领下正向西逃窜！"

"好！"王司令员用力地一挥右拳说，"打得好，叫小鬼子尝尝中国人的厉害！"

战士交给王司令员一件日本军服上衣，这件上衣的里面画着一张奇怪的图（图2）。

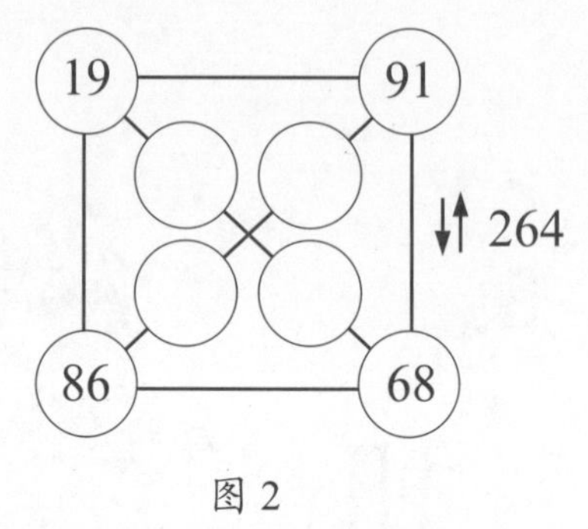

图 2

“这是什么意思？”大家围过来琢磨这张图。

王司令员说：“这次鬼子来了4支部队，有两支番号是公开的，一支是1986部队，另一支是9168部队。还有两支秘密部队番号不明。”

老伙夫插话说：“这张图中间四个圆圈应该填的数

会不会是这两支秘密部队的番号？”

“我明白了。”马克说，“小鬼子总爱搞正着看和倒着看的把戏！在中间四个圆圈里都填上数后，要使得每条对角线上的4个数，不管正着看，还是倒着看，和都相等。正整数中正着看和倒着看都是数的只有0，1，6，8，9。在这里，除了0没用上，其余4个数都出现了。我试着用这4个数再组成4个新数填上。”说话间马克就填好了数(图3)。

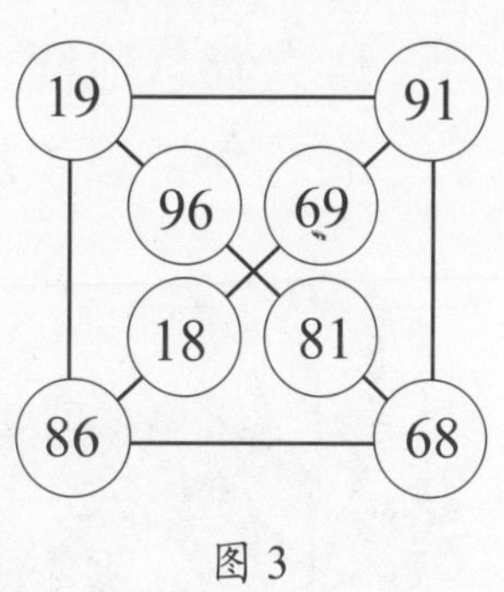

图3

王司令员高兴地说：“正着看：19 + 96 + 81 + 68 = 264；91 + 69 + 18 + 86 = 264；倒着看：89 + 18 + 96 + 61 = 264；98 + 81 + 69 + 16 = 264。都等于264，太棒啦！”

特殊使命 TESHUSHIMING

王司令员说："现已查明日本鬼子两支秘密部队的番号，一支是9618部队，另一支是6981部队。但是，这两支部队藏在哪儿？它们的任务是什么？至今仍旧是个谜！"

马克着急地问："那怎么办？"

王司令员想了想说："日本军官小胡子曾把你留在

身边，他想利用你的聪明才智。我看你可以这样、这样……”王司令员俯在马克耳朵边小声说了几句，马克边听边点头。

几经周折，马克终于找到了小胡子。小胡子满脸狐疑地问：“刚才突围时，你跑到哪里去了？”

马克说：“你骑着高头大马，跑得那么快，我哪里追得上你呢？”

经过一番盘问，小胡子没发现什么疑点，就留下马克继续给他当勤务兵。

一天，日军司令部来了一封十万火急的密信。小胡子看后，一脸为难相。他犹豫了一会儿，笑嘻嘻地对马克说：“我有一道智力题，要考考你！”

马克问：“什么题？”

小胡子说：“有一个没有重复数字的四位数，左边两位数字之和等于右边两位数字之和；中间两位数字之和等于旁边两位数字之和的 3 倍；右边 3 位数字之和是最左边一个数的 9 倍。你能算出这个四位数是多少吗？”

“这道题可真难！我怕是做不出来。”马克显得十分为难。

小胡子两眼一瞪，胡子一撅说：“这个四位数关系重大，你算得出来要算，算不出来也要算！”

马克说：“你别发火，我来想想：根据右边 3 位数字之和是最左边一个数的 9 倍，右边 3 位数字最大的可

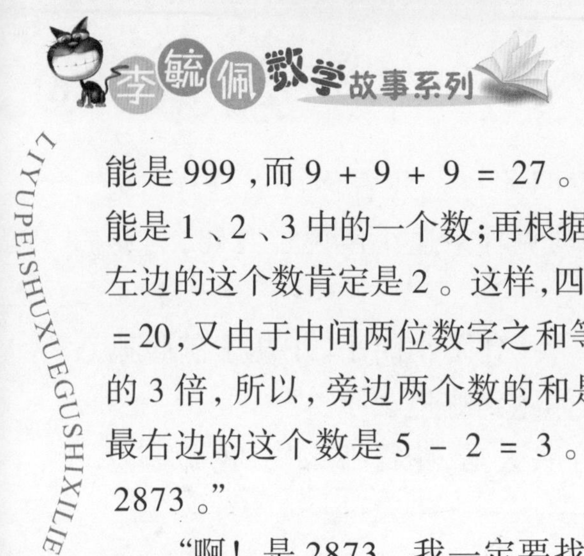

能是 999，而 $9+9+9=27$。而 9 倍不大于 27 的只能是 1、2、3 中的一个数；再根据其他条件，可以推出最左边的这个数肯定是 2。这样，四个数字之和是 $2+2\times9=20$，又由于中间两位数字之和等于旁边两位数字之和的 3 倍，所以，旁边两个数的和是 $20\div(3+1)=5$，最右边的这个数是 $5-2=3$。好啦！这个四位数是 2873。”

“啊！是 2873，我一定要找到 2873！”小胡子显得很激动。

大金戒指

DAJINJIEZHI

马克算出的四位数是2873，小胡子听到这个四位数之后显得十分激动。马克想，难道这个四位数中藏有什么秘密？

从这天起，小胡子每天带着马克在街上乱转。他让马克注意门牌号、汽车车牌号，看看有没有2873这个四位数。两个人转了好几天也没发现这个四位数。小胡子已经没信心了。

一天，小胡子和马克走进一家百货公司，在卖金银首饰的柜台前，马克偶然发现一个大金戒指售价2873元。马克一拉小胡子衣角，说："看那个金戒指！"小胡子一看立刻心花怒放，他对售货员说："我要买这个金戒指。"

售货员上下打量了一下小胡子，很客气地说："请等一等。"售货员转身到了里屋。工夫不大，从里面走出一个又矮又胖的中年人。

中年人问："你找这个金戒指好久了吧？"

小胡子答："有几天啦！"

中年人笑了笑说:“这个金戒指今天不能卖给你,明天来买吧!”

小胡子急着问:“明天几点钟来买?”

中年人从口袋里掏出 5 张纸牌,上面分别写着 0,1,4,7,9 五个数。他指着纸牌说:“你每次从中取出 4 张纸牌,排成一个四位数,把其中能被 3 整除的数挑出来,按从小到大的顺序排列,第 3 个数就是取货的时间。注意,早一分,晚一分都不行!”说完转身回到里屋。

小胡子拿着纸牌摆弄了半天也摆不出来,只好让马克来摆。

“不用摆!”马克说,“如果一个数的各位数字之和是 3 的倍数,则这个数一定能被 3 整除。我们做加

法：0 + 1 + 4 + 7 = 12，12 可以被 3 整除；而1 + 4 + 7 + 9 = 21，21 也可以被 3 整除。其他的 0 + 1 + 4 + 9 = 14，0 + 1 + 7 + 9 = 17，0 + 4 + 7 + 9 = 20 都不能被 3 整除了。所以取 0，1，4，7 或 1，4，7，9 四个数组成四位数，从小到大的排列是：1047，1074，1407，1470，1479……好了，第 3 个数是 1407。”

小胡子高兴得两眼一瞪，说：“1407，这就是说，明天下午 2 点零 7 分来取货！”

秘密通道

MIMITONGDAO

第二天，小胡子带着马克于下午2时7分准时来到卖金戒指的柜台。售货员二话没说，把一个首饰盒交给了小胡子。

小胡子打开首饰盒，发现里面除了那只大金戒指外，还有一张纸条，纸条上写满了日本文字。

小胡子看完纸条非常兴奋，自言自语地说："当9618部队司令官！哈，我一步登天啦！"

"什么？9618秘密部队？"马克听了也为之一震。马克心里暗想，我必须把这个重要情报告诉王司令员。

小胡子戴上大金戒指，与马克直奔城北而去。半路上马克去了一次厕所，乘机把情报告诉了八路军的秘密联络站。

小胡子带着马克进了一家饭店，两人坐定。小胡子兴奋地说："今天我请客，一来是庆祝我升官发财，二来是我俩就要分手啦！"

马克问："为什么？"

小胡子小声说："我只能一个人去9618部队，不能

带别人！”

马克假装舍不得离开小胡子。小胡子几杯酒下肚，有点醉了，他趴在马克的耳边小声说：“进9618部队有一个秘密通道，门上有一个圆盘。”说着画了一个图(图4)。

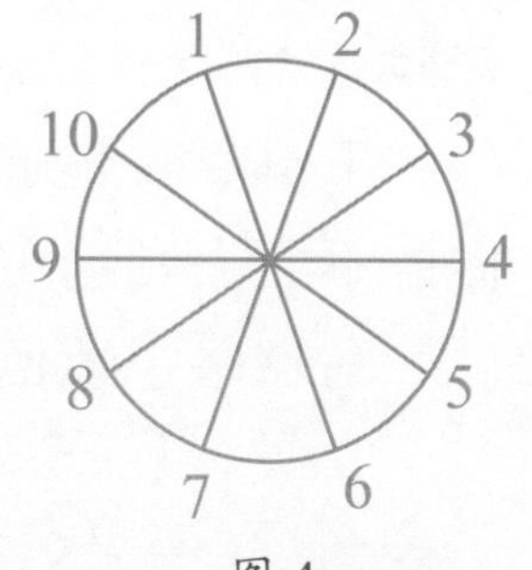

图4

小胡子接着说：“你只要调整一下圆盘上各数的位置，使得任何两个相邻数的和都等于直线另一端两数的和，秘密通道的门就会自动打开。这个秘密不许告诉任何人！否则，死啦死啦的！”小胡子目露凶光，用手比画砍脑袋的动作，随即把图也

毁了。

马克与小胡子一分手,赶紧去找王司令员。王司令员让马克把圆盘上的数字调整好,并验算无误(图 5)。

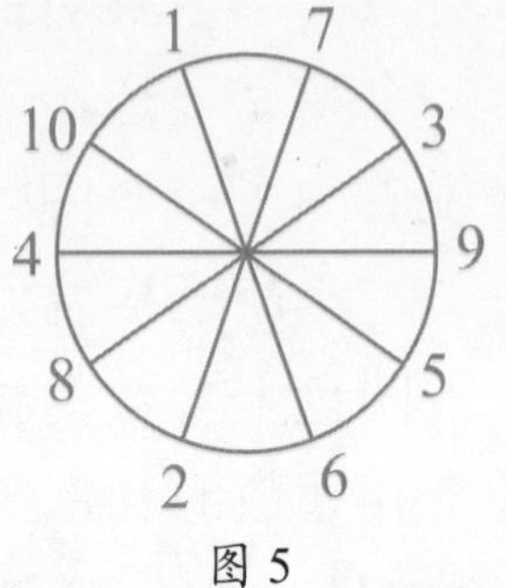

图 5

王司令员十分严肃地问:“马克,你敢不敢去闯这个鬼门关?”

马克坚定地回答:“敢!”

闯鬼门关

CHUANGGUIMENGUAN

受王司令员的重托，马克要勇闯鬼子的9618部队。他找到了进部队的秘密通道，调整了圆盘上的数字，打开铁门走了进去。

进了铁门是一大段阴森森的通道，拐过一个弯，是一扇很厚的玻璃门。马克用手推了推，门纹丝不动。马克一看，门上画着一幅由3个圆组成的图形（图6），3个圆心连成一个等边三角形。图的下面写着一行小字：

用右手食指，不重复地一笔画出这个图形，门就会自动打开。

图6

马克知道，必须一次就正确地画出来，稍有差错，就会有生命危险。马克在手心上连画了几次，确认准确无误了，才用右手食指在图上画了一遍（如图7，从**A**点开始，到**A**点结束）。

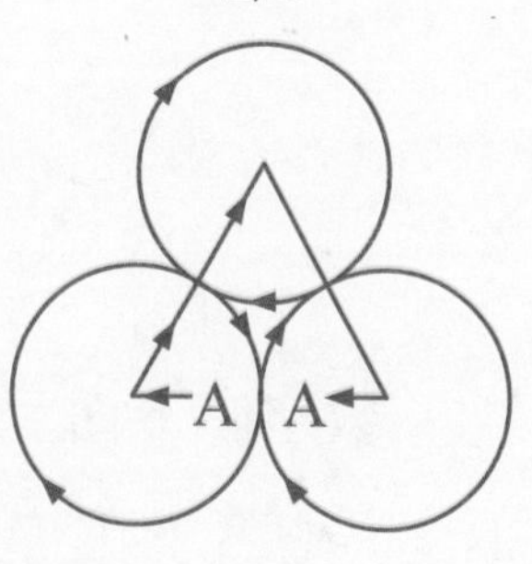

图7

刚刚画完，就听“轰隆”一声，玻璃门自动升了上去，马克探头往里一看，里面漆黑一片，隐隐听到“哗啦啦”的流水声。

“不入虎穴，焉得虎子”，马克下决心往里闯。他边摸索边往前走，发现走的是下坡路，而且一股臭气扑面而来。走着走着，马克明白了，这里直通下水道，城市的污水从这里流过，臭气熏天。马克顺着下水道往前走，忽然看见墙上用白漆写着一个数字阵：

第1列	第2列	第3列	第4列	第5列	第6列	第7列
			2			
		4		6		
	8		10		12	
14		16		18		20
	22		24		26	
		28		30		
			32			
		34		36		
	38		40		42	
44		46		48		50

…………

数字阵下面写着：

往前走 ***n*** 个下水道口，上去即到。***n*** 是2000在数字阵中所处的列数。

马克想：这是一个偶数阵，形状如同首尾相接的菱形，菱形上下顶点上的数依次为 2，32，62，92 …… 1982 ……由于阵中的数都是偶数，所以 2000 在从 2 开始的偶数中占第 1000 位。另一方面，每一个菱形，不算最下面的数，都有 15 个偶数。计算 $1000 \div 15 = 66 \cdots\cdots 10$，因此 2000 在第 67 个菱形中。不算最下面的数，在第 66 个菱形中最大的数是 $15 \times 66 \times 2 = 1980$，第 67 个菱形最上面的数是 1982，写出来是：

2000 位于第 7 列，所以 n 等于 7。

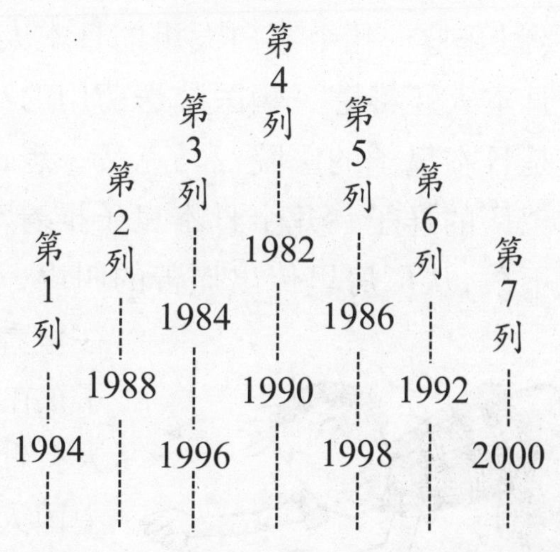

“好，我往前走 7 个下水道口。”马克继续往前走去。

细菌试验

XIJUNSHIYAN

马克走到第7个下水道口，顺着梯子爬了上去，他小心顶开上面的圆铁盖，刺眼的阳光晃得马克睁不开眼睛。

马克向四周看了看，周围一个人也没有，异常安静。马克小心地爬了上来，发现四周都是高墙，墙上面架设有电网。院里有许多高大的厂房。

马克一溜小跑来到一间厂房外面，想看看里面有什么。突然，门开啦！几个穿白大褂的日本人走了出来，其中一个日本人还推着一辆医院送药用的小车。

这里是日本鬼子的医院？马克又一想，不对，医院不会修成工厂的样子。几个日本鬼子推着车走进另一间厂房。不久，从厂房里传出痛苦的叫声，马克从门缝往里看，见日本鬼子正在给几个中国人打针，被打针的中国人十分痛苦，倒在地上打滚。

突然，马克听到背后有脚步声，赶紧藏了起来，只见小胡子带着两个日本兵走进了这间厂房。

一个穿白大褂的日本鬼子向小胡子敬了个礼，说："我们正在做细菌试验。"

小胡子问："这间房子里有多少中国人？"还没等对方回答，他又十分严厉地说："不许直接告诉我数字！"

"是！"那个日本鬼子说，"一个数是 5 个 2 ，3 个 3 ，2 个 5 ，1 个 7 的连乘积。这个数的两位数约数中最大的约数，就是这里中国人的人数。"

马克赶紧计算：如果我先把这个数求出来，然后再求它的约数太麻烦，我干脆直接从它的最大的两位数约数入手。最大的两位数是 99 ，99 中含有质因数 11 ，而这个数中没有质因数 11 。98 怎么样？ 98 含有两个质因数

7，不成；97 是质数，不成；96 = 2 × 2 × 2 × 2 × 2 × 3，对，是 96！

马克心想：这一间厂房里就有 96 名中国人，这个院子里有 10 间厂房，差不多有 1000 名中国人被他们当作试验品。

马克刚想转身走，就听后面有人说："来了也不呆一会儿就走？"

三种传染病

SANZHONGCHUANRANBING

马克刚想离开细菌试验厂，跑来两个日本兵把他抓住了。

“放开，这是我的客人！”小胡子命令日本兵放开马克，然后对马克招招手说：“跟我走！”马克跟着小胡子走进了一间戒备森严的办公室。

小胡子说：“我所管辖的9618部队是一支特殊部队，它专门研究治疗各种疑难病症。刚才你看到的是医生们在治疗霍乱。”

“哼！”马克心里说，“你不用骗我，你在拿中国人当试验品，做细菌战试验。”

小胡子挠了一下头皮，说：“我遇到一个难题，我们刚才用于治疗霍乱、鼠疫、肺炎三种疾病的药各有21份。病人的情况很复杂：有人这3种病只得一种；有人得3种病中的2种；还有人3种病全得了。”

小胡子又说：“病人的情况共7种，这7种情况的病人人数也各不相同。我已经知道3种病都得的人最少，只有3个人，而只得霍乱的人数是最多的。我想知道，

被治疗的病人中只得霍乱的有多少人？你帮我算算。”

马克皱着眉头想了想，说：“为了计算方便，把霍乱、鼠疫、肺炎三种疾病中只得一种的人数分别记为**A**，**B**，**C**。同时得两种疾病的人数，用两个字母来记，比如同时得霍乱和鼠疫的人数就是**A B**，那么**A B C**就是三种疾病都得的人数，已经知道**A B C**是3。你说的7种情况就是**A**，**B**，**C**，**A B**，**A C**，**B C**，**A B C**。”

小胡子点点头说：“好，这样记简单明了！”

马克说：“在这7种情况里，**A**、**B**、**C**各出现4次，我们把治疗相应疾病的药也分成4份。由于每一种药都是21份，所以要把21分成4份。由于这7种情况人数各不相同，只能分成以下三种情况：（1）3，4，5，

9；(2)3，4，6，8；(3)3，5，6，7。因为最少是3人，所以3种情况中最小数是3。我来给你画个图(图8)。”

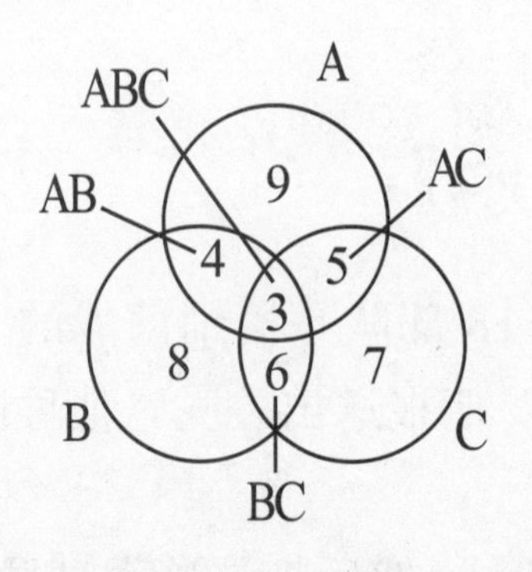

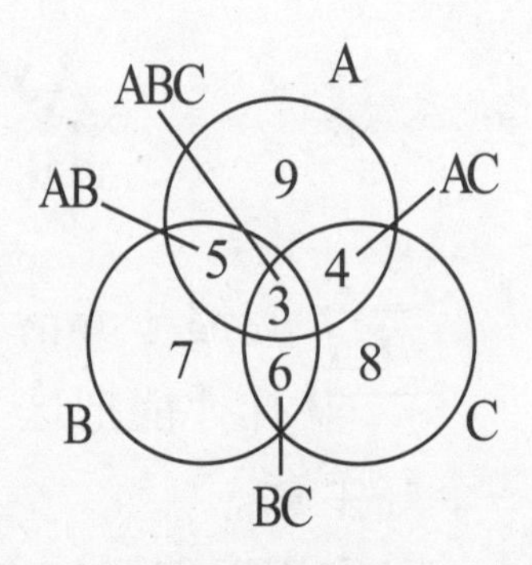

图8

“这是什么意思？”小胡子看不懂。

马克解释说：“根据你说的条件，会出现两种可能，第一种可能是只得霍乱的(**A**)9人，只得鼠疫的(**B**)8人，只得肺炎的(**C**)7人，同时得霍乱和鼠疫的(**AB**)4人，同时得鼠疫和肺炎的(**BC**)6人，同时得霍乱和肺炎的(**AC**)5人；三种病都得的(**ABC**)3人。第二种情况和这个类似。但是不管哪种可能，**A**也就是只得霍乱的人数肯定是9人。”

小胡子一瞪眼说：“才9人？太少啦！”

抓球游戏

ZHUAQIUYOUXI

马克终于弄清楚 9618 部队是搞细菌战的。怎样才能把这个重要情报送出去呢？他琢磨出一个好主意。

马克用泥捏了好多小圆球，然后把这些泥球晒干，用颜料染成黑白两种颜色。

每天上午 8 时，都有一辆送菜的车通过 9618 部队的大门，此时大门打开。这天上午 7 时 45 分，马克拿着 3 个口袋来到大门口。

马克对卫兵们说："今天咱们来玩个游戏。"卫兵们知道马克认识司令官小胡子，谁也不敢惹他，都点头说好。

马克拿出 3 个口袋，说："这第一个口袋里装有 99 个白球和 100 个黑球，这第二个口袋里装的都是黑球，第三个口袋是空口袋。"

马克伸手从口袋里摸球，边摸边讲："我每次从第一个口袋里摸出两个球，如果两个球颜色相同，就把它们放入第三个口袋里，同时从第二个口袋里取出一个黑球放入第一个口袋里；如果取出的两个球的颜色不同，就

把白球放回到第一个口袋里，把黑球放入第三个口袋里。"说着马克给日本兵表演了一番。

"我的问题是，"马克叫日本兵注意，"我一共从第一个口袋里取了197次球，问第一个口袋里还有多少个球？它们是什么颜色？"

"这……"两个日本兵张口结舌。呆了一会儿，一个日本兵随口说："只剩一个白球。"

"哈，不对！"马克笑着摇了摇头。这时送菜的车来了，卫兵们忙把大门打开。

马克趁卫兵们不注意，从衣袋里摸出一个黑球，说："多了一个黑球，把它扔了吧！"说完扔到门外，一个小孩拾起黑球，一溜烟地跑了。

马克解释说："我每取一次，第一个口袋里的球实际

上只减少一个。第一个口袋里原有 199 个球，我取了 197 次，还剩下 2 个球，又由于只有同时拿到两个白球时，才放入第三个口袋，而拿到一黑一白时，要把白球还回第一个口袋，因此白球成对减少。而原来第一个口袋里有 99 个白球，是奇数个白球，所以，剩下的球中一定有一个是白球，另一个是黑球。”

生日酒会

SHENGRIJIUHUI

拾走黑球的小孩是八路军的小侦察员，他每天都蹲在门口准备和马克接头。他拿着小黑球跑去见王司令员。

王司令员掰开黑球，里面有张纸条。王司令员读完后点点头说："早听说日本鬼子在搞细菌试验，就是一直没找到它的老窝在哪儿。好，这下子找到了。"他立即做了作战部署。

王司令员通过给9618部队送菜的人，把消灭这支细菌部队的方案传给了马克。

7月8日是小胡子的生日，9618部队改善伙食，为小胡子举行生日酒会，小胡子非常高兴。马克建议做智力游戏，输了的要罚喝酒。小胡子一拍马克的肩头，说："我一定把你灌倒！"

马克说："把100分成这样4个数，第一个数加上4，第二个数减去4，第三个数乘以4，第四个数除以4，结果都相等。这4个数各是多少？"

小胡子笑笑说："这个问题很容易，100除以4得

25，这4个数都是25。”

“你连题目都没听懂！”马克说，“这4个数应该是12，20，4，64。喝酒！”马克倒了一大杯酒，递给了小胡子。小胡子一仰脖“咕咚”、“咕咚”喝了下去。

马克又问：“今天是7月8日，星期三，请问，再过106天是星期几？”

小胡子昏头昏脑地伸出1根手指说：“是星期一。”

“不对，是星期四。每星期7天，106÷7＝15……1，就是说，从星期三再往后数一天，是星期四。”马克又让小胡子喝下一大杯酒。几个问题过后，小胡子喝得两个眼珠已经不能一起动了。

这时，从外面跑来一个日本兵，报告说：“今天送菜的车特别大，说是给您祝寿的，让不让进？”

“当然……让进。”小胡子摇晃着脑袋说，“给……给我祝寿，怎……么不让进？”

菜车开进院里，“呼啦”一声，从菜车里跳出几名持枪的八路军。

审讯小胡子

SHENXUNXIAOHUZI

大菜车一进门，从菜车里跳出几名八路军战士，他们用枪逼住守门的日本兵，埋伏在门外的八路军冲了进来，一场血战开始了。

经过大约半个小时的战斗，日本兵死的死，被俘的被俘，直到这时小胡子才清醒过来。

王司令员开始审讯小胡子。王司令员问："现在已经弄清楚你们 9618 部队是一支专搞细菌战的部队。我问你，6981 部队在哪儿？这支部队是干什么的？"

小胡子"嘿嘿"一阵冷笑，说："我就是告诉你，怕你也找不着！"

王司令员严厉地说："你是我们的俘虏，问你什么，你要从实招来！"

小胡子斜眼看了一眼王司令员，说："6981 部队在正东 m 米。m 是多少呢？你把 100 粒石子放在一条直线上，相邻两粒石子间的距离为 1 米。你从第一粒石子出发，逐个取石子放在第一粒石子处。请注意：'逐个取'的意思是取了一粒放回去之后，再去取第二粒。把

所有石子全部放到第一粒石子处，你所走过的路程就是 m 米。”

“死到临头，还在耍刁！”马克说，“我来算！”

马克说：“相邻两粒石子间的距离为 1 米，从第一粒石子出发，取到第二粒石子并放到第一粒石子处时，需要走 2 米；取到第三粒石子，放到第一粒石子处时，需要走 4 米。这样一直取下去，取到最后一粒石子，放到第一粒石子处时，需要走 $99 \times 2 = 198$（米）。所以取石子一共走的路程是——”马克列了一个算式：

$2+4+6+\cdots\cdots+196+198=9900$（米）

马克向王司令员报告说：“*m* 等于 9900 。”

王司令员点点头说：“离这儿不足 10 千米。为了防止小胡子的口供有诈，马克，你和老伙夫押着小胡子在前面探路，我带领大部队随后就到。”

“是！”马克接受命令，他和老伙夫一左一右押着小胡子朝正东方向走去。

拨动指针 BODONGZHIZHEN

马克和老伙夫押着小胡子朝正东走了 9900 米，来到一座破旧的工厂。工厂里有许多破旧机器，连个人影也没有。

老伙夫用手枪捅了一下小胡子，问："你是不是在欺骗我们？"

小胡子"嘿嘿"冷笑了两声，说："军人从不说假话！"

马克问："6981 部队在哪儿？"

小胡子带着他俩走到一台大机器前，指着机器上的一个数字转盘说："用转盘上 0 ~ 9 这十个数字可以组成许多个各位数字都不相同的十位数，比如 2307814659，这里面又有许多能被 11 整除的数。"

老伙夫有点不耐烦，催促说："你想干什么就快说，不用绕弯子！"

小胡子白了老伙夫一眼，继续说："你们拨动指针，

让它指出一个十位数，这个十位数是能被 11 整除的数中最大的一个，你们就能找到 6981 部队了。”

“真的？”老伙夫不信。

“我来试试看。”马克说，“先要把这个十位数算出来。如果一个自然数能被 11 整除，那么，它的奇数位数字之和与偶数位数字之和的差，一定能被 11 整除。”

老伙夫点点头说：“说得对！”

马克又说：“设 a 是奇数位数字之和，b 是偶数位数字之和，那么，$a+b=0+1+2+3+\cdots+9=45$，而且 $a-b$ 能被 11 整除。由于要最大的数，所以，最高位一定要取 9，这样 $b>a$，也就是 $b-a>0$。因此，$b-a$ 的差是 11 的倍数。由于 $a+b=45$，可以确定只能取 $b-$

$a = 11$。由此算出 $b = 28$，$a = 17$，进一步凑出这个最大的十位数是 9876524130。”

马克按照这个十位数拨动指针，只听“哗啦”一声，机器下面出现一个地下通道口。

王司令员指挥部队冲进地下通道，来到一个大化工厂，消灭了那里的鬼子兵。原来 6981 部队是一个专门制作化学武器的兵工厂。

王司令员拍着马克的肩膀说：“你真是一个好兵！”

李毓佩数学故事系列

胖子大侦探

LI
YU
PEI
SHU
XUE
GU
SHI
XI
LIE

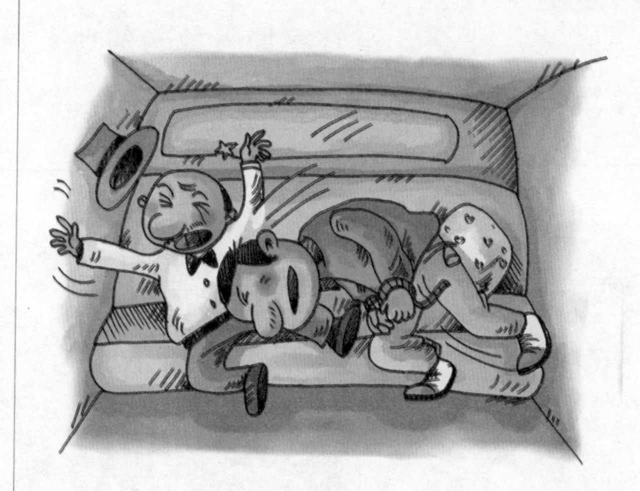

联络电话

LIANLUODIANHUA

在市警察局，一说胖子大侦探无人不知，无人不晓。别看胖子大侦探人高体壮，体重有 90 千克，但是他肯动脑子，会动脑子，再加上数学特别好，破案率很高，许多疑难案件都要由他出面来破。

今天一上班，市警察局长急匆匆地来找胖子大侦探。局长说："胖子，我市发现一个武器走私集团，我命

你带人端掉它！”

“是！”胖子站起来向局长行了个举手礼。他转身到了隔壁房间，里面坐着两名警察，一个又高又瘦，一个又矮又敦实。胖子喊了声：“瘦猴、大头，换上便衣跟我走！”

“好的！”瘦猴换上一套笔挺的条纹西装，大头套上一件宽大的T恤衫，跟着胖子走了出去。

大头问：“胖子，有任务吗？”

胖子面带微笑说：“局长让咱们去侦破一件武器走私案，端掉这个走私集团。”

瘦猴问：“有什么线索吗？”

胖子从口袋里掏出一张纸，说：“这是截获的电话号码和秘密联络地点。”

大头接过纸，只见上面写着：

电话		3	□	6
	+	□	8	□
门牌		9	□	□

（注意：数字无重复，不包括0）

大头摇摇头说：“缺这么多数可怎么办？”

瘦猴想了一下说：“可以先从百位上算起，3加6得9，百位上的空格填6才对。”

“不对，不对。”胖子摆摆手说，“你没看见纸条上写着，数字无重复嘛！在个位上已经有6了。”

瘦猴反问："百位上不是6，你说是几？"

胖子十分有把握地说："百位上肯定是5。百位上是3加5，再从十位上进1，加起来正好是9。"

大头点点头说："有理。下面空格我来填。"

说完他把格子里的其他数字填上：

电话		3	4	6
	+	5	8	1
门牌		9	2	7

胖子看了看，说："数字无重复，又不包括0，那么只有这样一种填法。"

瘦猴说："走私集团的联络电话是346581，我去给他们打个电话。"

电话打通了，对方要求面谈，胖子紧握右拳说："不入虎穴，焉得虎子！咱们去会会他们。"

大头听说要和走私集团正面接触，非常高兴："坏蛋的门牌号已经算出来了，是927号，咱们这就去！"

瘦猴问："全城这么大，到哪儿去找927号？"

胖子说："只有中央大街有927号，其他大街没有这么长。走，去中央大街。"

3个人驱车来到中央大街，很快找到了927号。大头推开门就往里走，边走边说："就是这儿，咱们进去。"

"慢。"胖子拦阻说，"咱们不能都进去，让瘦猴先进

去探探路。”

瘦猴双手插在裤袋里，慢悠悠地往里走。没走几步，迎面走出两个戴墨镜的年轻人，其中一个人喝道：“站住！你找谁？”

瘦猴说：“电话里你们约我面谈，货在什么地方？”

另一个青年人从口袋里掏出一张卡片递给瘦猴说：“你先把暗号对上。”

瘦猴接过卡片一看，上面写着：

abc=？其中 a是最小的质数，b是最小的合数，c是最大的个位数。

“这……”瘦猴琢磨一下说，“这么简单的问题，还想难住我？”说完就填上了数：$abc = 149$。

两个青年一看瘦猴填的数，大声叫道：“好小子，你是冒充来取货的，打！”

两青年的拳头如雨点一般落在瘦猴身上，瘦猴转身就跑，边跑边喊：“哎呀，打人喽，快来人啊！”

转动拨盘

ZHUANDONGBOPAN

瘦猴在里面一叫，胖子和大头立即冲了进去。大头看见两个壮汉正在打瘦猴，他气不打一处来，冲上去用头照准一个匪徒的肚子，猛力一撞，只听“哎哟”一声，那个被撞的匪徒捂着肚子立刻蹲在了地上。

大头揪住另一个匪徒，低头又要撞，吓得那个匪徒高叫：“好汉饶命！你这个同伴没接对暗号。”

胖子接过卡片一看，说：“1不是质数，最小的质数应该是2。”说完把卡片上的数字改成了：$abc=249$。

匪徒一看暗号接对了，就冲胖子点点头说：“你们随我们来。”说完快步往前走，而且越走越快。

“你们慢点走！”胖子走起来有点费力。

一转眼，两个匪徒走进一扇门，“咣当”一声，把门关上了。胖子跑到门前推门，可是推不开。

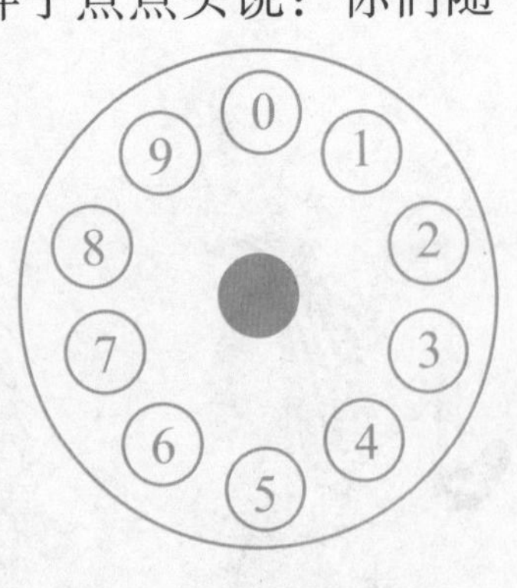

图1

在门上有一个电话拨盘

（图1），旁边还写着几行字：

舌头，

一来就干，

天下无人敌。

大头一摸大脑袋："这写的都是什么玩意儿？"

瘦猴说："这3句话，可能代表3个数字。不然的话，旁边放一个数字拨盘是什么意思？"

"说得对！"胖子分析说，"舌字的上头是千哪！一来到就成为干字，那应该是十呀！"

大头一听高兴了，他说："有门儿，天字下面没有了人，可就成了二了。"

瘦猴一拍手说："把千、十、二合在一起，就是1012，快拨这个号码！"

瘦猴在拨盘上连续拨出了1、0、1、2四个数。"呼啦"一声，房门大开。大头刚想往里冲，从里面"砰、砰、砰"打来三枪。

胖子命令："快趴下！还击！"3个人不约而同地掏出手枪，向里面射击。经过一阵激烈对射，里面停止了射击。

"冲进去！"胖子一招手，带头冲了进去。进屋里一看，他们追赶的两名匪徒不见了，在屋子

中间站着一个白发老头。

白发老头问："是来取货的吧？钱带来了吗？"

胖子收起手枪，说："我要先看看货。你这儿有什么货，各有多少？"

"嗯……听我慢慢地说。"白发老头慢条斯理地说，"这儿有步枪 162 枝，步枪占枪支总数的 18%；手枪是步枪的$\frac{2}{3}$；冲锋枪是步枪的$\frac{3}{2}$；剩下的就是新式的霹雳火箭枪。有多少枪，你们自己算吧！"

瘦猴一瞪眼说："这么容易的问题，还想难倒我们？手枪和冲锋枪的枝数最好算：手枪有 $162\times\frac{2}{3}=108$

(枝);冲锋枪有 $162\times\frac{3}{2}=243$(枝)。”

“总数也不难算。”胖子接着算,“共有 $162\div18\%=900$(枝),霹雳火箭枪有 $900-(162+108+243)=387$(枝)。”

白发老头点点头说:“嗯,算得不错。”

胖子倒背双手在屋里来回走了几步,突然他停下脚步大声说:“有900件武器,是一桩大买卖,我全买下啦!”

白发老头用怀疑的眼光看着胖子,问:“你有那么多钱吗?”

胖子十分肯定地说:“有。你现在就带我去看这批武器!”

白发老头眼珠往上一翻说:“先交钱,不交钱别想看武器!”

大头掏出手枪,说:“不许动,你被捕啦!”

初战告捷

CHUZHANGAOJIE

“啊！警察！”白发老头掉头就跑，边跑边喊，“警察来端窝啦！快开枪！”

“砰、砰”，从另一间屋里伸出几枝手枪，朝胖子开火。胖子立刻还击，一番枪战，一名匪徒中弹倒地。白发老头趁乱溜进了里屋。

白发老头在里屋叫道：“快，快撤到密室里去！”

胖子一挥手说：“冲进去，别让他们跑了！”

三个人一齐冲进了里屋，发现屋内空无一人，匪徒们跑到哪儿去了呢？

胖子、大头、瘦猴都举着手枪，仔细在屋里寻找，希望找到密室的入口。他们在屋里转了一圈儿，没有找到。

突然，大头指着地下说：“看，下水道！”

大头发现在屋子的一角，有一个下水道盖。这东西怎么会跑到屋子里呢？

胖子说：“这可能是密室的入口。我把它拉开，你们朝里面射击！”说完胖子用力拉下水道盖，但使出了吃奶的劲儿也没拉动。

“怎么回事？”胖子低头一看，下水道盖上插着3黑3白共6根小棍(图2)，盖上面还写着两行字：

调动4次；把盖上的6根小棍调成一黑一白的排列。每次只能调相邻一对，调对了盖自开，调错就爆炸！

图2

“你俩往后靠，我来调动这6根小棍。第一步把中间的一白一黑两根棍调到最左边（图3）；第二步把最右边的两根黑棍调到最左边(图4)；第三步是把左数第四和第五两根棍调到最右边(图5)；第四步把左数第二和第三两根棍调到最右边(图6)。”胖子调动了4次，下水道盖忽地打开了。

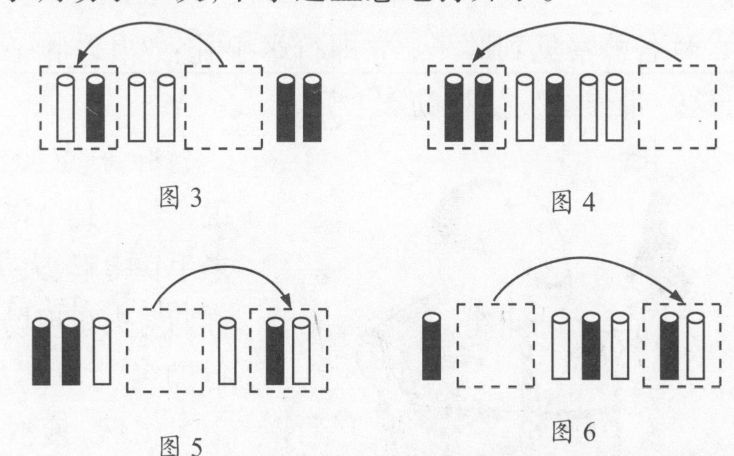

图3　图4

图5　图6

“射击！”胖子一声令下，3枝手枪同时向下水道里面开枪。“我们投降！”从下水道里伸出一面小白旗。

胖子命令：“放下武器，举手出来！”

白发老头领头，一行 5 名匪徒高举双手走了出来。胖子问："武器呢？"白发老头回答："武器都藏在下面。"

经过清查，900 枝枪一枝也不少。胖子拿出手机向局长报告："重大军火走私案已破获！"

局长高兴地说："好！我立刻派警车去捉拿人犯，起运武器！你们三人立即赶往人民路 53 号——红光电器商店，那里发生了重大盗窃案！"

"是！我们马上就去！"胖子带领瘦猴、大头坐上警车直奔红光电器商店。

走进商店，看见几个人围着两名警察在报案："我们学校的电视机不见了！""我们商店被偷！""我们工厂失窃！"

两名警察见到胖子，立即行举手礼："报告胖子侦探，这一带连续发生盗窃案！"

胖子点点头说："看来是个作案老手！瘦猴、大头，你们对失窃现场进行勘察。"

突然，瘦猴叫道："胖子，这里有一个新挖的洞，盗贼可能是从这儿钻

进来的。”

胖子看见墙上有一个正方形的洞，通向外面。大头低头想从洞里钻过去，可是钻不过去。

大头摇摇头说：“钻不过去呀！这可能是猫洞或狗洞吧？”

“不会。”胖子说，“猫洞、狗洞不会开得这么高。你脑袋太大啦！”

胖子掏出皮尺量了一下正方形的边长，说：“边长14厘米，这是盗贼脑袋的直径。有了直径可以算出他脑袋的周长。”胖子随手写出：

圆周长 = 3.14 ×直径 = 3.14 × 14 ≈ 44（厘米）

胖子一挥手说：“走，到制帽厂去！”

制帽厂经理说：“脑袋的周长才44厘米，这脑袋确实够小的，但是也不是没有。唉，我想起来了，前几天有一个人来专门订做过一顶周长44厘米的帽子！”

胖子忙问：“此人长得什么样？”

“嗯……1米5的个头儿，特瘦，脑袋奇小，肩膀很窄。”

胖子拿出手机呼叫：“总局、总局，我是胖子。要在全市搜捕戴周长44厘米的帽子、身高1米5的小矮人！”

没过多久，手机里传来信息：“胖子，胖子，在城东废砖窑里住着一个形迹可疑的小矮人！”

“马上就去！”胖子和瘦猴、大头跳上警车，直奔城东开去，到了城东却找不着那座废砖窑。这时，走来两个长得一模一样的少年。

大头冲两个少年点点头，问：“去废砖窑朝哪儿走？”两个少年从口袋里各拿出一张纸条，递给了大头，大头接过来一看，两张纸条一模一样，上面写道：

我们是孪生兄弟，一个专门说真话，一个专门说假话。

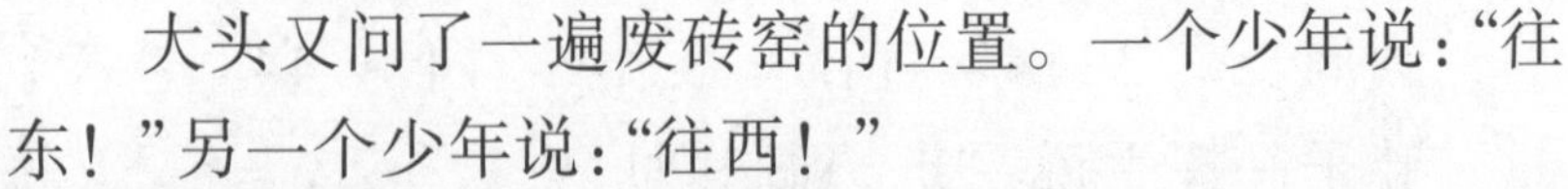

大头又问了一遍废砖窑的位置。一个少年说：“往东！”另一个少年说：“往西！”

大头摇摇头说：“这可怎么办？”

胖子问一个少年：“如果我问你兄弟废砖窑的位置，他将怎么回答？”

这个少年说：“我兄弟说往东。”

胖子一拍手说：“咱们往西走，没错！”

大头问：“为什么？”

胖子说：“他俩说话一真一假，合在一起必定是假话。假话说往东，咱们必须往西！”

废旧砖窑

FEIJIUZHUANYAO

胖子、瘦猴、大头一行三人向西走了一段，果然发现一座废弃了的旧砖窑。

大头围旧砖窑转了一圈，说："这个废砖窑连个门都没有，怎么进去呀？"

胖子对里面喊："里面有人吗？"

里面有人尖声尖气地回答："有人，而且还是活的！"话声刚落，从窑顶上钻出一个小矮人。

小矮人左手叉腰，右手指着胖子问："你们找我有事吗？"

胖子拿出警察证给他看："我是警察。你有偷盗嫌疑，我们想找你谈谈。"

"要我出去？没门儿！你们有本事，就请到我的砖窑里来谈。"说完人影一晃，就钻进了砖窑。

瘦猴把小脑袋一摇，说："进你的砖窑有什么困难？我先进去。"说完就像猴子一样"噌"、"噌"几下，就爬上了窑顶。

瘦猴从上面放下一条绳子，胖子和大头拉着绳子也爬了上去。旧窑顶的中心有一个小方洞，大头拿出尺来量了一下。

大头说："这个正方形的洞，边长也是14厘米，贼肯定是他！"

瘦猴摇着头说："是他也没用，我的脑袋都钻不进去，你们更进不去了。"

大头生气了，他掏出手枪，大声说："小矮人，你再不出来，我就向窑里开枪啦！"

小矮人在里面说："你还别用枪吓唬我，这里面地方大着呢，你根本打不着我！"

胖子示意大头不要动武。胖子心平气和地说："你还是出来和我们谈谈吧！"

"谈谈？"小矮人说，"只要你们答应我一个条件，我就出来。"

"什么条件？"

"我这儿有17张100元一张的钱，想分给我的朋友。甲分其中的$\frac{1}{2}$，乙分$\frac{1}{3}$，丙分$\frac{1}{9}$。可以分得开吗？"

胖子说："这可是个难题啊！17张的$\frac{1}{2}$是8张半，可是这100元的票子又不能撕成两半。这样吧，我借给你一张100元的钞票，你有18张就好分了。"

小矮人在里面说："对，18张就好分了。甲分$18\times\frac{1}{2}=9$(张)，乙分$18\times\frac{1}{3}=6$(张)，丙分$18\times\frac{1}{9}=2$

（张），最后还剩一张恰好还给你。嘿，真是好办法，我出来啦！”

小矮人从窑口钻了出来：“你们瞧，我这不是钻出来了嘛！”

瘦猴连连点头称赞说：“真是奇迹！”

小矮人双手叉腰问：“你们凭什么说是我作的案？”

大头说：“你的脑袋奇小，作案现场的洞别人是钻不进去的。”

“噢，原来是这样。好吧！”小矮人把拇指和食指放进口中，用力吹了一下。

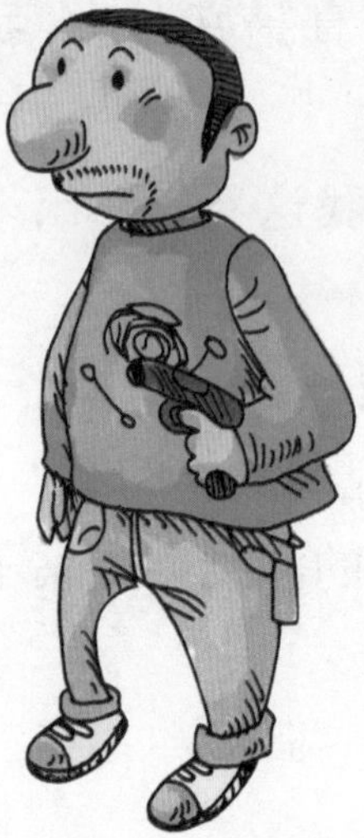

"吱——"随着一声口哨声,周围突然出现了好几个小矮人。这些小矮人异口同声地说:"这个窑口我们都能钻进去,我们常进去做客。"

胖子又问:"窑里有什么东西?"

小矮人说:"有8个大柜,每个大柜里有8个大箱,每个大箱里有8个大袋,每个大袋里装有8件新东西。"

胖子算了一下说:"8个大柜,$8\times8=64$个大箱,$8\times8\times8=512$个大袋,$8\times8\times8\times8=4096$件新东西。你哪来这么多东西?"

小矮人说:"这些东西都是杂技团小丑寄存的。"

胖子又问:"小丑住在哪儿?"

"住在第8条大街10号。"

胖子说:"走,去第8条大街!"

发现毒品

FAXIANDUPIN

胖子带着大头、瘦猴迅速赶到第 8 条大街 10 号。三个人举着手枪破门而入，房间里并没有人。

“搜！”三个人翻箱倒柜翻了个遍，连个小丑的人影也没有。他会跑哪儿去呢？突然，胖子把眼睛盯在一台大冰箱上。胖子跑到冰箱前拉开门一看，只见小丑穿着棉大衣蜷缩在里面。

“快出来！”胖子用枪指着小丑下达命令。

小丑哆哆嗦嗦地爬了出来，先打了两个喷嚏，然后说：“我交代，这几桩盗窃案都是我干的。我把赃物藏在废砖窑里了。”

门外传来紧急刹车声，一名警察跑了进来向胖子行了个举手礼说：“报告胖子探长，发现有人携带毒品入境，局长令你迅速赶往飞机场，截获毒品！”

“你来得正好。请把这个盗窃犯押回警察局！”胖子回头对大头、瘦猴说，“活儿还挺多，去飞机场！”

警车一到飞机场，胖子就命令说：“我去检查行李，你们俩拿着旅客登记表，去验证旅客的体重。”

“是！”大头和瘦猴跑步来到入境检查站。一个又高又胖的外国人走了过来。瘦猴找到这个人的登记表，看后说：“他原来体重 100 千克。”

大头一看秤说：“嗯？现在却是 102 千克，多出来 2 千克，有问题！”大头请这个外国人到 X 光机前透视。

海关人员说：“他胃里全是食物。”

这个外国人笑笑说：“我在飞机上饱餐了一顿美味中餐。”

第二个进站的是个留着长头发的青年人。

“原体重 51 千克。”

“现在体重 52.5 千克，多出 1.5 千克。你在飞机上吃饭了吗？”

“嗯……”

见这名青年回答时吞吞吐吐，大头和瘦猴就带他去 X 光机前进行透视检查。

海关人员说：“他胃里有 4 个圆形物体！”

大头下令：“给他灌肠！”

经检查，这个青年把 1.2 千克毒品分 4 包吞进肚里。在物证面前，这个长头发青年承认自己倒卖毒品。

胖子来了，他问：“还有别人带进毒品吗？”

“有，有。”长头发青年说，“我们的头儿先让一个矮胖老头带走全部毒品的 40%，让一个中年妇女带走剩

下的 50%，又让一个小孩带走剩下的 60%，最后剩下的 1.2 千克给了我。”

胖子皱着眉头说：“数量还真不少哪！看来先要算出每个人所带毒品所占的百分比。”

“我来算。”瘦猴抢先列出了式子：

老头儿：40%；

妇女：(1 − 40%)× 50% = 30%；

小孩：(1 − 40% − 30%)× 60% = 18%；

青年：1 − 40% − 30% − 18% = 12%。

胖子摇摇头说：“这个青年只带进毒品的 12%，全部毒品是 10 千克哪！”

大头说：“要马上封锁机场附近的所有道路！凡是矮胖老头、中年妇女、小孩都要检查！”

胖子点点头说：“对！咱们三个人分头检查。”

大头在机场出口处拦住一辆豪华“奔

驰”轿车。他看见车里坐着一个戴礼帽的矮胖老头，帽檐压得低低的，大头出示了警察证。

大头很客气地说：“对不起，请下车检查。”

矮胖老头不满地说：“我是来中国旅游的，你们怎么能随便检查。”矮胖老头吃力地下了汽车，大头一看个头不足一米五，嗯，有门儿！

大头刚要上车搜查，一枝冰冷的手枪顶住他的太阳穴。矮胖老头恶狠狠地说：“上车！把我送进城！”说完把大头推上了车，汽车飞快地开走了。

汽车一拐弯，遇到了胖子探长。胖子见大头坐在汽车里，觉得十分奇怪，忙问：“大头，车上有问题吗？”

矮胖老头用枪顶了一下大头：“你敢说出去，我一枪打死你！”

大头眼珠一转，对胖子喊道：“没事！只不过天不见了大个坏蛋！”

瘦猴跑过来问：“大头说的话是什么意思？”

胖子在地上写了一下“天”字，“天字不见了大，剩下的是一呀！大头暗示我们车上有一个坏蛋！”

“追！”瘦猴截了一辆车，向“奔驰”车开走的方向猛追过去。

端掉毒窝 DUANDIAOODUWO

矮胖老头看见胖子的汽车紧追不舍，心中害怕。矮胖老头向后面“砰、砰”连放两枪。

大头趁矮胖老头开枪的机会，低头朝矮胖老头猛撞过去，大喊：“让你尝尝我大头的厉害，下去吧！”

“我的妈呀！”矮胖老头从车里滚了出来。

“不许动！放下武器！”瘦猴用枪逼住矮胖老头。

这时从机场方向，走来一名打扮入时的中年妇女，手中牵着一只大狼狗。她在电话亭前停下来，在留言板上贴了一张纸条，转身离去。

瘦猴说：“瞧，那个贵妇人在贴纸条！”

“过去看看。”胖子快步走了过去。

纸条上写着：

请速取 b 千克巧克力。

$b+1$　　　　$b+3$

b [长方形] = [长方形] $b-1$

大头摸着自己的大脑袋，说：“这张纸条可真怪，两个长方形中间还画了一个等号，什么意思呢？”

胖子说：“等号表示两个长方形的面积相等吧！瘦猴，你算得快，你来算算 b 等于多少！”

瘦猴写出：长方形面积 = 长×宽。

$$b(b+1)=(b+3)(b-1),$$

$$b^2+b=b^2+2bs-3,$$

$$b=3。$$

瘦猴说：“上次计算出那个中年妇女带了 3 千克毒品，这回是 3 千克巧克力。我看，这巧克力是假，毒品是真！”

“追！”三个人拔腿就追。边追边喊，“喂，牵狗的，站住！”

那位贵妇人用手拍了一下狼狗的屁股,小声说:"去咬他们!"

大狼狗"噌"的一声,蹿了过来,"汪、汪"地张嘴便咬。大头抄起一根木棍,朝狗头上猛击一棍,把狼狗打倒在地。

贵妇人弄清楚来的三个人是警察,又知道自己的同伙已有两人被捕,立即招认自己带来3千克毒品。

胖子把矮胖老头和贵妇人交给警察,喘了一口粗气说:"还剩一个小孩。"

这时一个卖报小孩跑过来,小声说:"谁买神奇花粉,500元1克,又便宜又好用!"

"神奇花粉?"胖子一愣,他问小孩,"我要买神奇花粉,你有多少?"

卖报小孩低声说:"我有许多神奇花粉,请你带足了钱,按这个地址去取货!"说完递给胖子一张纸条。

纸条上写着:

取货地点第 x 大街 y 号,其中 x 和 y 从下表中找。

1	5	6	30
2	3	8	12
3	x	7	35
4	3	y	9

大头接过纸条看了半天，摇摇头说："这表里的数字乱七八糟！"

胖子说："一定有规律，要耐心观察才行。"

还是瘦猴细心，他写出：$1\times30=5\times6$，$2\times12=3\times8$。然后高兴地说："我找到前两行的规律了，每行两边两数的乘积与中间两数的乘积相等！利用这个规律可以算出 x 和 y 来。"

瘦猴接着算：$7x=3\times35$，

$x=15$；

$3y=4\times9$，

$y=12$。

大头掏出手枪叫道："卖毒品的地点在第 15 条大街 12 号，快去捣毁毒窝！"说完就跑了出去。

警车迅速赶到藏毒地点，大头第一个闯了进去。没想到脚下一软，"扑通"一声，掉进了陷阱。这时里屋"砰、砰"地向外开枪，胖子和瘦猴奋力还击。

胖子和瘦猴都是神枪手，交火没多久，里屋的两名匪徒就受伤逃走。要救大头，又要捉拿匪徒，胖子心里十分着急。可是他们会躲在哪儿呢？

瘦猴说："大头是掉进陷阱里去的，我看他们肯定藏在地下室！"他们跑进屋寻找，在大沙发后面找到了通往地下

图 7

室的门，可是门是关着的。门旁边画着一把扇子(图 7)，扇子下面写着一行字：

在扇子的空格处填上适当的数字，门就会自动打开。

瘦猴看了半天，摇摇头说："前 3 个数 2 、3 、5 都是质数，可是第 4 个数却是合数，这里面的规律我找不出来。"

胖子一句话没说，在地上写出一系列算式：

$3 = 2 \times 2 - 1$, $5 = 3 \times 2 - 1$,

$9 = 5 \times 2 - 1$, $17 = 9 \times 2 - 1$ 。

瘦猴一拍脑袋说："我明白了！右边的数等于左边相邻数的 2 倍再减 1 , $17 \times 2 - 1 = 33$ 。"胖子掏出笔

在空格处填上 33，门自动打开了。两人端着枪顺着楼梯走下去，只见两名受伤的匪徒正在包扎伤口。

“不许动！举起手来！”胖子大喝一声，两名匪徒乖乖地举起了手。在另一间屋里找到了大头，并查获了大量毒品。

胖子叫来大批警察，对这个毒窝进行彻底搜查。胖子笑着说：“大头、瘦猴，该休息两天啦！”

图书在版编目(CIP)数据

彩图版数学神探 006/李毓佩著.—武汉：湖北少年儿童出版社,2009.3
（李毓佩数学故事系列）
ISBN 978-7-5353-4408-3

Ⅰ.彩…　Ⅱ.李…　Ⅲ数学—少年读物　Ⅳ.01-49

中国版本图书馆CIP数据核字（2009）第028638号

书　　名：数学神探 006
主　　编：李毓佩
出版发行：湖北少年儿童出版社
业务电话：027-87679199　027-87679179
网　　址：http://www.hbcp.com.cn
电子邮件：hbcp@vip.sina.com
承 印 厂：武汉福海桑田印务有限责任公司
经　　销：新华书店湖北发行所
印　　数：218 001-226 000
印　　张：5.5
印　　次：2009年3月第1版　2018年7月第17次印刷
规　　格：880×1230mm　1/32
书　　号：ISBN 978-7-5353-4408-3
定　　价：14.80元